DAS SCHÖNE DEUTSCHLAND
ZWEITER TEIL

DAS SCHÖNE DEUTSCHLAND:
ERSTER TEIL

By WALTER E. ANDERSON M.A.
$7\frac{1}{4} \times 5$ *inches, 204 pages,*
illustrated, boards

DAS
SCHÖNE DEUTSCHLAND

ZWEITER TEIL

BY

WALTER E. ANDERSON M.A.

HEAD OF THE DEPARTMENT OF LANGUAGES
MANCHESTER COLLEGE OF COMMERCE

GEORGE G. HARRAP & CO. LTD

LONDON   TORONTO   WELLINGTON   SYDNEY

First published in Great Britain 1956
by GEORGE G. HARRAP & CO. LTD
182 High Holborn, London, W.C.1

Reprinted: 1957; 1960; 1962; 1963; 1965

Composed in Baskerville type and printed by
William Clowes and Sons, Limited, London and Beccles

Made in Great Britain

PREFACE

The First Part of this German Course was intended to provide students with such a basic knowledge of the life and language of the people of Germany as would enable them to derive greater benefit from a holiday in that country. It is my hope that the Second Part will introduce them to the country itself, though it does not in any way pretend to be a guide-book. If, after working through the book, students feel that they have some acquaintance with the Rhine valley, the mountains and the charming towns of Southern Germany, and feel perhaps tempted to travel to some of these localities to enlarge that acquaintance, one of my purposes will have been fulfilled.

Whilst hoping that students will find the subject matter entertaining, I trust also that the grammar and exercises will be found sufficiently thorough to equip them for other linguistic tasks than those encountered during a short holiday in the country. Continuation School students and students starting German in the Sixth Forms of Grammar Schools will, I hope, find the Course adequate for their purpose.

1955   W.E.A.

CONTENTS

ILLUSTRATIONS

*The photographs are reproduced by courtesy of the
German Tourist Information Bureau.*

REISEVORBEREITUNGEN

Familie London hat seit einigen Jahren schon vor, ihre Sommerferien in Deutschland zu verbringen. Herr London, der in den ersten Jahren nach dem zweiten Weltkrieg Soldat in Deutschland war, hat schon damals das Land und die Leute liebgewonnen. Als die Zeit kam, da er nach England zurückgehen musste, entschloss er sich, eines Tages mit seiner Frau und seinen Kindern nach Deutschland zurückzukehren, um sie auch mit Deutschland bekanntzumachen. Nun freuen sie sich alle auf diese schöne Tour, und die Kinder lernen sogar seit einigen Monaten schon fleissig Deutsch.

Wo sollte er sie nun hinführen? Sie wollten sich nicht nur von der Arbeit und den Sorgen des Alltags erholen, sie wollten auch Deutschland kennenlernen. Das war ein Problem, mit dem Herr London sich lange beschäftigte. An einem gewissen Sonntagmorgen, als er noch im Bett lag, hatte er jedoch einen glänzenden Einfall. „Weisst du was?" sagte er zu seiner Frau, „ich gehe zu meinem deutschen Freund Karl Deutsch und bespreche die Sache mit ihm." Sofort sprang er aus dem Bett, wusch sich, zog sich schnell an, nahm sein Frühstück ein und machte sich auf den Weg zu Herrn Deutsch.

Herr Deutsch war erst vor kurzem von Deutschland nach England gekommen und kannte also das heutige Deutschland viel besser als Herr London. „Ja," sagte er, als dieser ihm sein Problem erklärte, „das ist nicht so leicht. Drei Wochen Ferien haben Sie und wollen in der Zeit Ihrer Familie Westdeutschland zeigen. Wenn Sie nur vierzehn Tage lang herumreisen, brauchen Sie mindestens acht Tage, um sich auszuruhen und sich von den Strapazen der Reise zu erholen. Schon das Tempo des Lebens im Nachkriegsdeutschland wird Sie müde machen. Der Engländer hat gern seine Ruhe, und Sie werden sie in Deutschland wahrscheinlich vermissen, wenn Sie Ihren ganzen Urlaub in den Grossstädten verbringen.

„Andererseits haben die meisten deutschen Städte, wie Sie schon wissen, viel Schönes zu bieten. Man sieht zwar noch Bombenschaden, aber Sie werden sich wundern, wenn Sie sehen, was man alles wiederaufgebaut hat. Viele der schönsten Bauten aus der Vorkriegszeit, Kirchen, Schlösser usw. sind noch gut erhalten, vor allem in den romantischen Kleinstädten. In den Grossstädten wie Frankfurt am Main, die durch den Bombenkrieg sehr gelitten haben, ist vieles in dem alten Stil wiederaufgebaut. Doch, Sie werden sich über manches freuen, was Sie noch heute in den deutschen Städten sehen werden.

„Aber das Herumlaufen in den Städten macht müde, besonders im Sommer. Das kann eine wahrhaftige Hetze sein. Besser ist es, wenn Sie sich vornehmen, höchstens drei oder vier Grossstädte zu besichtigen und dann zur Erholung in die Berge zu fahren. Fahren Sie, zum Beispiel, nach Hamburg und sehen Sie sich den dortigen Hafenbetrieb an! Gleichzeitig werden Sie Einblick in das deutsche Grossstadtleben gewinnen. Dann können Sie nach Düsseldorf und Köln fahren, um die rheinischen Grossstädte kennenzulernen. Von dort aus können Sie eine wunderschöne Rheintour machen und sich an den romantischen Städten und Dörfern und den stolzen Raubritterschlössern und Burgen ergötzen.

„Nachdem Sie den Rhein gesehen haben, können Sie Ihre Reise weiter nach Süden fortsetzen und unterwegs die berühmten mittelalterlichen Kleinstädte Rothenburg ob der Tauber und Dinkelsbühl in Oberbayern besuchen. So werden Sie nach der schönen bayrischen Hauptstadt München kommen. Oder fahren Sie über Stuttgart—da ist auch manches Sehenswerte—und besuchen Sie Rothenburg auf dem Rückweg! In München können Sie ein paar interessante aber anstrengende Tage verleben, besonders wenn das Wetter heiss ist. Aber die Kur ist gleich in der Nähe. Fahren Sie zum Schluss in die bayrischen Alpen und bringen Sie eine Woche in der wohltuenden Bergluft zu! Das werden Sie nicht bereuen."

Herr London hörte seinem Freund mit Freude zu, bedankte sich für die Ratschläge und fuhr schnell nach Hause zurück, um mit seiner Frau die endgültigen Pläne für ihre Deutschlandreise zu schmieden.

VOKABELN

der **Soldat** (**-en, -en**), soldier
die **Arbeit** (**-en**), work
der **Alltag,** every day, every-day life
die **Sache** (**-n**), matter, thing
die **Strapaze** (**-n**), hardship
die **Ruhe,** peace, tranquillity

der **Bau** (**Bauten**), building

der **Bombenkrieg,** bomb warfare
die **Hetze,** dreadful rush (*coll.*)
der **Einblick,** insight
der **Raubritter** (**-**), robber knight
die **Kur,** cure, treatment
der **Ratschlag** (**-̈e**), advice (generally *plural*)

die **Tour** (**-en**), tour
die **Sorge** (**-n**), care, worry
der **Einfall** (**-̈e**), idea

die **Ferien** (*no singular*), holidays
das **Tempo,** speed
der **Bombenschaden,** bomb damage
die **Vorkriegszeit,** pre-war period
der **Stil** (**-e**), style

die **Erholung,** recuperation
die **Burg**(**-en**), castle, fortress
der **Rückweg** (**-e**), way back

die **Alpen,** the Alps

damals, at that time
glänzend, brilliant
dieser, the latter
usw. (**und so weiter**), etc., and so on
alt, old
dortig, there, of that place
rheinisch, Rhenish

romantisch, romantic
mittelalterlich, medieval
sehenswert, worth seeing
wohltuend, beneficial, healthy

gewiss, certain
heutig, present-day, of to-day
wahrscheinlich, probably
erhalten, preserved

wahrhaftig, positive, real
gleichzeitig, simultaneously
wunderschön, wonderful, delightful
stolz, proud
bayrisch, Bavarian
anstrengend, strenuous
endgültig, final

Schwache Verben

*****zurückkehren** (*sep.*), to return

sich freuen (**auf**), to look forward to
sich freuen über, to be pleased about

Starke Verben

liebgewinnen (*sep.*), to grow fond of
sich entschliessen, to decide

besprechen, to discuss

* conjugated with **sein**

Schwache Verben

sich beschäftigen (mit), to be occupied with
sieh ausruhen (*sep.*), to rest
sich erholen, to recover, to recuperate
sich wundern (über), to be surprised
wiederaufbauen (*sep.*), to rebuild
besichtigen, to view, to inspect
sich ergötzen (an), to delight in
fortsetzen (*sep.*), to continue
bereuen, to regret
zuhören (*sep.*), to listen
sich bedanken, to say thank you, to express one's gratitude
schmieden, to forge, to make (of plans)

Starke Verben

*springen, to jump

sich waschen, to wash oneself
leiden, to suffer

sich anziehen (*sep.*), to dress oneself
*herumlaufen (*sep.*), to run about
ansehen (*sep.*), to look at

ZUM LERNEN

Ich mache Sie mit ihm bekannt.	I introduce you to him.
Ich habe ihn gern.	I like him.
Ich freue mich auf den Tag.	I am looking forward to the day.
Ich freue mich darauf.	I am looking forward to it.
Ich freue mich über das Resultat.	I am pleased at the result.
Ich freue mich darüber.	I am pleased about it.
Er macht sich auf den Weg.	He sets off.
Ich sehe es mir an.	I am having a look at it.
Er gewinnt Einblick in die Sache.	He gains insight into the matter.
Er schmiedet Pläne.	He is making plans.
erst vor kurzem	only (not until) a short time ago
von dort aus	from there
zum Schluss	in conclusion, to finish up with

* conjugated with **sein**

GRAMMATIK

Reflexive Verbs

1. As in English, any transitive verb can be used reflexively. A common example is **sich waschen**—*to wash oneself.* Such verbs are conjugated as follows:

ich	**wasche mich**	wir	**waschen uns**
du	**wäschst dich**	ihr	**wascht euch**
er		Sie	**waschen sich**
sie	**wäscht sich**	sie	**waschen sich**
es			
man			

2. There are, however, many instances of German reflexive verbs the English equivalents of which are not reflexive. Though they are conjugated in the normal way, their meaning is best rendered idiomatically. In some instances the literal meaning clearly accounts for the accepted translation, as in the case of **sich beschäftigen mit**—*to be occupied with* (literally *to busy oneself with*) and **sich wundern**—*to be surprised* (literally *to wonder oneself*).

3. The reflexive pronouns also have dative forms:

1	**mir**	1	**uns**
2	**dir**	2	**euch** / **sich**
3	**sich**	3	**sich**

Note that they differ from the accusative forms only in the first and second person (familiar) singular. These forms must always be used when verbs governing the dative are made reflexive. Such verbs will be discussed fully in a later lesson. Apart from verbs normally governing the dative case, however, certain other verbs require the dative form of the reflexive pronoun when the latter indicates *for myself, himself,* etc. Thus: *I buy myself something*—**Ich kaufe mir etwas.** *I am having a look at it*—**Ich sehe es mir an.**

Position of the Reflexive Pronoun

4. The reflexive pronoun takes the same position in the sentence as the ordinary direct object, *i.e.*, immediately after

the finite verb in main clauses and immediately after the subject in subordinate clauses:

e.g. **Ich ziehe *mich* immer sehr schnell an.**
    Er wird *sich* hoffentlich bald erholen.
    Wir haben *uns* auch darüber gewundert.
    Da er *sich* auf die Ferien freut, nehmen wir ihn mit.
    Weil er *sich* noch nicht entschlossen hat, werden
      wir noch warten.

The Idiomatic Use of the Preposition SEIT

Ich lerne seit einigen Monaten Deutsch.	I have been (*i.e.*, and still am) learning German *for* some months.
Ich lernte seit einigen Monaten Deutsch.	I had been (*i.e.*, and still was) learning German *for* some months.
Seit wann ist er krank?	How long has he been ill?
Seit wann war er krank?	How long had he been ill?

In German the present and imperfect tenses replace the English compound tenses, perfect and pluperfect respectively, in such constructions.

AUFGABEN

1. Beantworten Sie folgende Fragen:

(1) Was hatte Familie London vor? (2) Wann war Herr London in Deutschland? (3) Was machte er dort? (4) Mit wem wollte er jetzt nach Deutschland fahren? (5) Seit wann lernten die Kinder schon Deutsch? (6) Warum wollte Familie London nach Deutschland fahren? (7) Wen bat Herr London um Rat? (8) Wo sollte Familie London nach ihrer Besichtigung der Grossstädte zur Erholung hinfahren? (9) Was sollten sie am Rhein sehen? (10) Welche Städte in Oberbayern sollten sie besuchen? (11) Wie heisst die Hauptstadt von Bayern? (12) Wann ist das Herumlaufen in den Grossstädten anstrengend?

2. Konjugieren Sie (*a*) im Präsens, (*b*) im Imperfekt, (*c*) im Perfekt, (*d*) im Futur:

(1) sich die Stadt ansehen; (2) sich anziehen; (3) sich für die Hilfe bedanken; (4) sich einen neuen Anzug kaufen; (5) sich von der Krankheit erholen; (6) sich über den Vorschlag wundern; (7) sich auf seinen Aufenthalt in Deutschland freuen; (8) sich mit seiner Aufgabe beschäftigen.

3. Ergänzen Sie:

(1) Da können Sie sich — d— schön— Bau— ergötzen. (2) Er hat sich — d— Tempo d— Leben— im heutig— Deutschland sehr gewundert. (3) Freust du dich — sei— glänzend— Einfall? (4) — dies— dumm— Buch beschäftige ich mich nicht mehr. (5) Ei— solch— lang— Reise wird kei— Erholung für uns sein. (6) D— Leben ei— Soldat— ist manchmal sehr schwer. (7) In d— Berg— vergisst man sehr schnell d— Sorgen d— Alltag—. (8) Wir müssen versuchen, Einblick in d— neu— Stil zu gewinnen. (9) Vor kurz— sah ich m— ei— sehr schön— Schloss an. (10) Auf d— Rückweg werde ich mei— alt— Freund besuchen.

4. Geben Sie die richtige Form des Verbs:

(1) Man (wiederaufbauen — *Perfekt*) diese alte Burg. (2) Herr London (besprechen — *Imperfekt*) die Sache mit seinem Freund. (3) Kein Wort (sagen — *Perfekt*) er, obwohl er mich lange (ansehen — *Perfekt*). (4) Nach dem Frühstück (fortsetzen — *Imperfekt*) wir unsere Reise. (5) (Sich freuen — *Plusquamperfekt*) Sie so sehr darauf? (6) Seit Wochen schon (schmieden — *Imperfekt*) er Pläne, als ich ihn (aufsuchen — *Imperfekt*). (7) (Sich bedanken — *Perfekt*) meine Schwester schon bei Ihnen? (8) Sie (liebgewinnen — *Futur*) diese Kleinstadt bestimmt. (9) Leider (leiden — *Perfekt*) er sehr darunter. (10) Nachher (bereuen — *Imperfekt*) ich meinen Einfall. (11) Wir (sich entschliessen — *Perfekt*) noch nicht. (12) Das (sich ansehen — *Futur*) ich morgen. (13) Der Hund (springen — *Perfekt*) über das Tor. (14) Du (herumlaufen — *Imperfekt*) überall und (zuhören — *Imperfekt*) nicht. (15) Sie (sich wundern — *Futur*) über seine Arbeit.

5. Übersetzen Sie:

(1) I am not at all surprised. (2) Can't you make up your mind? (3) He got up and dressed quickly. (4) You must wash yourself at once, you dirty (schmutzig) boy. (5) Haven't you recovered yet? (6) Are you surprised at it? (7) He has not said thank you. (8) Are you looking forward to the holidays? (9) After breakfast we set off again. (10) He is always pleased about it.

6. Ergänzen Sie durch eine passende Präposition:

(1) Er gewann Einblick — die Sache. (2) Ich wunderte mich — das Resultat. (3) — hier aus können Sie die Stadt leicht erreichen. (4) Jetzt müssen wir uns wieder — den Weg machen. (5) Freust du dich — die Ferien? (6) Diese Stadt hat — den Krieg gelitten. (7) Hier kannst du dich — einem sehr schönen

Anblick ergötzen.   (8) Er hat sich — seiner Überraschung schon
erholt.   (9) Wo — beschäftigt er sich jetzt?   (10) Ich werde Sie
— ihr bekanntmachen.

7. Übersetzen Sie:

(1) How long have you been working in Cologne?   For three
months.   (2) When I saw him he had been waiting for an hour
already.   (3) How long had he been learning German, when he
went to Germany?   (4) My wife and I are already making
plans for our holidays next year.   (5) Do you like him?   (6)
Will you introduce me to your brother?   (7) I got to know him
only a short time ago.   (8) Please listen!   (9) You need time
to rest, before you go farther.   (10) Don't spend all your holiday
in a city.

8. Übersetzen Sie:

A friend of mine (of me), who had been in Germany as a soldier, came to see me (visited me) a few days ago, in order to ask
my advice.   He had been occupied for days with a certain problem.   He wanted to take his family to Germany and wanted to
show them all the cities in which he had lived as a soldier, but
he also wanted to show them something of the beauty of the German mountains and rivers.   "I'll tell you what" (do you know
what), I said.   "Visit Hamburg first and go from there to the
Rhineland, where you must spend a few days in Cologne and
Düsseldorf.   From there you can go south to Munich and see
something of the famous Bavarian capital."   "Don't you think
my wife and children will be tired, especially if the weather is
hot?" he asked.   "Yes," I replied, "but you don't need to spend
all your holiday in large towns.   You must go into the mountains
to recuperate.   I am sure you will not regret it."   We chatted in
this way for a time, and then my friend said thank you and returned home to make his final plans.

LEKTION ZWEI

DÜSSELDORF

„Eene Penni! Eene Penni!" Das waren die ersten zwei Worte, welche Familie London hörte, als sie aus dem Hauptbahnhof in Düsseldorf auf die Strasse hinaustrat. Vor ihnen auf dem Bürgersteig schlugen zwei Jungen Purzelbäume und baten flehentlich um den Groschen, mit dem man ihre Bemühungen manchmal belohnt. „Das sind die berühmten Düsseldorfer Radschläger, die wir jetzt vor uns sehen," sagte Herr London. Als die Jungen noch zudringlicher wurden, warf er ihnen schnell ein Zehnpfennigstück hin, worauf sie sich bedankten und sich entfernten.

„Woher haben sie gewusst, dass wir Engländer sind?" fragte Frau London. „Das haben sie natürlich nicht wissen können," antwortete Herr London. „Sie haben allerdings gleich gemerkt, dass wir Fremde waren und waren sofort hinter uns her." „Aber sie wollten doch einen *Penny* von uns haben," sagte seine Frau. „Das habe ich deutlich gehört." Herr London lachte. „Was du gehört hast, war das plattdeutsche Wort ‚Penni'," sagte er. „Das heisst so viel wie ‚Pfennig', obwohl die Bengel sich nicht mit einem Pfennig abfinden lassen. In der Saison verdienen sie sehr gut sogar."

Familie London schlenderte weiter, ging die Graf-Adolf-Strasse hinauf und bog in die Königsallee ein. Dieser Strasse, in ganz Europa als ‚die Kö' bekannt, verdankt Düsseldorf seinen Ruf, ein ‚klein' Paris' zu sein. „Nun lernt ihr die berühmte Königsallee kennen," sagte Herr London. „Ich kenne keine andere Stadt in Deutschland, in welcher man, wie hier, auf einer einzigen Geschäftsstrasse einen ganzen Nachmittag verbringen kann, ohne sich zu langweilen und sich nach Abwechselung umsehen zu müssen. Als ich Soldat in Deutschland war, habe ich ziemlich oft nach Düsseldorf fahren müssen, und ich bin immer wieder gern dahingefahren."

Nachdem die Engländer die eleganten Geschäfte mit

ihrer geradezu erstaunlichen Auswahl an schönen aber
teuren Sachen zur Genüge bewundert hatten, traten sie in
eines der prunkvollen Cafés ein, die für die Königsallee so
kennzeichnend sind, und bei einem vortrefflichen Kaffee mit
Sahnekuchen ruhten sie sich aus und sahen dem Betrieb auf
der Strasse zu. „Ja," bemerkte Herr London, als er die
Rechnung beglich, „die Königsallee ist ausserordentlich
schön, aber ich muss sagen, die Preise entsprechen ganz der
Eleganz, von der wir umgeben sind. Als ich vor einigen
Jahren hier war, habe ich in einem der Restaurants in der
Königsallee essen wollen, aber das habe ich nie tun dürfen,
weil alles so teuer war."

Familie London überquerte nun die Strasse und wanderte
auf der gegenüberliegenden Seite der Kö durch die Anlagen.
Am Ende der Strasse erreichten sie den Hofgarten und setzten
sich im Schatten der Bäume hin.   „Hier ist es schön ruhig,"
meinte Frau London.   „Der Lärm der vielen Autos lässt
sich auf die Dauer nicht ertragen."

Des Abends, als die beiden Kinder John und Mary schlafen
gegangen waren, führte er sie mit einem ganz anderen Stadtteil
Hinterher machte er sie mit einem ganz anderen Stadtteil
bekannt. Düsseldorf hat nämlich zwei Gesichter. Im
Gegensatz zu der modernen Eleganz der Königsallee steht
der altertümliche Reiz der Altstadt, in deren interessanten
alten Wirtshäusern man die beinahe mittelalterliche Tradition
der rheinischen Grossstädte erleben kann.   Da gibt es alte
Lokale, welche erst mitten in der Nacht aufleben, nachdem die
übrigen Gastwirtschaften ihre Türen zugemacht haben, und
welche für die Leute da sind, die sich das bekannte Lied
Nach Hause gehen wir nicht zum Schlagwort gemacht haben.

Am andern Tag kamen auch die Kinder an die Reihe.
Eine Motorbootfahrt rheinabwärts nach Kaiserswerth, wo
ein schönes Café mit Kaffee und Kuchen auf sie wartete,
war der richtige Abschluss eines kurzen aber erfreulichen
Aufenthalts in der Hauptstadt von Nordrhein-Westfalen.

VOKABELN

der **Bürgersteig** (-e), pavement

der **Groschen** (-), penny

der **Radschläger** (-), somersaulter (*literally:* cartwheeler)

der **Purzelbaum** (¨e), somersault

die **Bemühung** (-en), effort

der **Fremde** (-n), stranger (*adjectival noun*)

der **Junge** (**-n**), boy

die **Saison** (**-s**), season
die **Abwechselung** (**-en**), change, variety
die **Eleganz,** elegance
das **Gesicht** (**-e**), face
der **Reiz** (**-e**), charm
das **Lokal** (**-e**), inn, public house
das **Wirtshaus** (**-̈er**), inn, tavern
das **Schlagwort** (**-̈er**), slogan

flehentlich, pleadingly
deutlich, clearly
obwohl, although
prunkvoll, magnificent, luxurious
vortrefflich, excellent
altertümlich, ancient, antique
rheinabwärts, down the Rhine
erfreulich, delightful, enjoyable

der **Bengel** (**-**), rascal (applied to a boy), urchin
der **Ruf** (**-e**), reputation
die **Rechnung** (**-en**), bill

der **Schatten** (**-**), shadow
der **Gegensatz** (**-̈e**), contrast
die **Tradition** (**-en**), tradition
die **Gastwirtschaft** (**-en**), inn

das **Lied** (**-er**), song
der **Abschluss** (**-̈e**), conclusion

zudringlich, importunate
plattdeutsch, Low German
erstaunlich, astonishing
kennzeichnend, typical

hinterher, afterwards
übrig, remaining
kurz, short

Schwache Verben

belohnen, to reward

sich entfernen to go away

merken, to notice
bemerken, to remark

verdienen, to earn
***schlendern,** to saunter, to stroll

verdanken, to owe (*figurative*)
sich langweilen, to be bored
bewundern, to admire
überqueren (*insep.*), to cross
***wandern,** to wander
sich hinsetzen (*sep.*), to sit down
erleben, to experience
***aufleben** (*sep.*), to come to life
zumachen (*sep.*), to close

Starke Verben

schlagen, to beat, to turn (a somersault)
abfinden (*sep.*), to satisfy, to pay off
***einbiegen** (*sep.*), to turn (into)
sich umsehen (*sep.*), to look round
zusehen (*sep.*), to watch
entsprechen (*plus dative*), to correspond (to)
umgeben (*insep.*), to surround
ertragen, to bear, to endure
begleichen, to settle (a bill)

* conjugated with **sein**

ZUM LERNEN

Er schlägt Purzelbäume.	He turns somersaults.
Woher **haben sie das ge-wusst?**	How did they know that?
Sie waren sofort hinter uns her.	They were after us at once.
Das heisst so viel wie . . .	That means the same as . . .
immer wieder	again and again
zur Genüge	to their satisfaction
Er setzte sich hin.	He sat down.
mitten in der Nacht	in the middle of the night
Ich habe es mir zum Schlagwort gemacht.	I have made it my slogan.
Er wartete *auf* **mich.**	He waited *for* me.
auf die Dauer	in the long run, for a lengthy period, for long

GRAMMATIK

Perfect Tense of the Modal Auxiliary Verbs

1. Where there is no dependent infinitive—a comparatively rare occurrence—the normal past participle of the modal auxiliary verb is used. These participles are formed normally, except that they drop the Umlaut of the stem vowel, and **g** becomes **ch** in **mögen**.

gekonnt, gedurft, gesollt, gewollt, gemusst, gemocht

e.g. **Haben Sie es auch gekonnt? Ja, ich habe es ge-konnt, aber ich habe es nicht gewollt.**

2. Much commoner are instances where the modal verb governs the infinitive of some other verb. In such cases the infinitive form of the modal verb is used in the perfect tense instead of the past participle.

e.g. **Haben Sie das tun können?**

  Als Kind habe ich nur selten ins Kino gehen dürfen.

  Wir haben oft zu Hause bleiben müssen.

Idiomatic Use of the Verb LASSEN

1. The verb **lassen** (conjugated: *imperfect*—**liess**, *past participle*—**gelassen**) is used as an auxiliary verb and governs

an infinitive as do the modal auxiliaries **können, müssen,** etc.
In such constructions it is used in the sense *to have something
done* (i.e., *to cause something to be done*). *Cf.* the French construction '*faire* and an infinitive.'

e.g. **Ich lasse drei neue Häuser bauen.**	I am having three new houses built.
Ich werde das Paket sofort schicken las-sen.	I shall have the parcel sent at once.
Ich lasse mir die Haare schneiden.	I am having my hair cut.

2. Where such constructions involve the perfect tense of
lassen the same rule applies as in the case of the modal
auxiliaries.

e.g. **Ich habe mir die Haare schneiden lassen.**	I have had my hair cut.
Haben Sie es schon machen lassen?	Have you had it done already?

3. A reflexive use of **lassen** commonly expresses the
English *can be done*. In German the active infinitive corresponds in meaning to the English passive infinitive.

e.g. **Es lässt sich erklären.**	It can be explained.
Sie lassen sich nicht so leicht abfinden.	They cannot be bought off so easily.
Der Lärm lässt sich nicht ertragen.	The noise cannot be endured (is not to be endured).

AUFGABEN

1. Beantworten Sie folgende Fragen:

(1) Was ist ein Düsseldorfer Radschläger? (2) Was haben die
zwei Strassenjungen gleich gemerkt? (3) Wann verdienen die
Radschläger sehr gut? (4) Welchen Ruf hat Düsseldorf? (5)
Welcher Strasse verdankt es diesen Ruf? (6) Was bewunderten
die Engländer in der Königsallee? (7) Wo war es schön ruhig?
(8) Wohin führte Herr London abends seine Frau? (9) Was ist
für die Altstadt in Düsseldorf kennzeichnend? (10) Wann leben

die alten Lokale in der Stadt auf? (11) Für welche Leute sind
die Lokale da? (12) Wohin fuhren die Eltern am andern Tag
mit den Kindern? (13) Wie fuhren sie dahin? (14) Von
welchem Land ist Düsseldorf die Hauptstadt?

2. Wiederholen Sie (a) im Imperfekt, (b) im Perfekt:

(1) Heute nachmittag kann ich meine Aufgabe nicht machen.
(2) Das will er aber nicht. (3) Mein Bruder darf nicht zu viel
Wein trinken. (4) Ich mag keine Milch trinken. (5) Magst
du es nicht? (6) Können Sie auch Purzelbäume schlagen?
(7) Ich muss ihn einfach bewundern. (8) Mit mir will er nicht
hingehen. (9) Ich lasse meinen Anzug reinigen. (10) Ich darf
es leider nicht.

3. Ergänzen Sie:

(1) — Ende d— Saison ist in d— Hotel— kei— sehr gross—
Betrieb mehr. (2) Trotz sei— Bemühung— hat er kei—
Pfennig verdient. (3) In dies— Wirtshaus gibt es kei— Wein,
aber Bier können Sie zu jed— Zeit haben. (4) Als d— zudring-
lich— Junge mich — ei— Groschen bat, warf ich ihm ei—
Zehnpfennigstück hin. (5) Er ging schnell über d— Strasse
und bog in d— Hauptstrasse ein. (6) — Schluss sangen wir
ei— sehr schön— Lied. (7) Mei— kurz— Aufenthalt in jen—
Stadt verdankte ich ei— gut— Freund. (8) D— Eleganz dies—
Stadt entspricht ih— Ruf. (9) Nach d— Essen wollte ich d—
Rechnung sofort begleichen. (10) Auf d— gegenüberliegend—
Strassenseite kann man durch d— wunderschön— Anlagen
schlendern.

4. Übersetzen Sie:

(1) Are you having a new house built? (2) I shall have the
parcel sent to his address. (3) Haven't you had it done yet?
(4) That can be considered. (5) Why don't you (du) have
your hair cut short? (6) Why can't it be done? (7) Why
hasn't he waited for us? (8) One cannot bear the noise for long.
(9) Why don't you sit down? (10) To-morrow it's my turn.

5. Geben Sie die richtige Form des Verbs:

(1) Ich (lassen — *Perfekt*) mir die Haare schneiden. (2) Dieser
freche Junge (sich entfernen — *Imperfekt*) schnell, weil sein Lehrer
plötzlich in die Strasse (einbiegen — *Imperfekt*). (3) Wir (schlendern — *Perfekt*) oft durch die Anlagen. (4) Er (aufstehen —
Imperfekt) und (zumachen — *Imperfekt*) die Tür. (5) Du (sich
langweilen — *Perfekt*) sicherlich. (6) Die kleinen Jungen
(umgeben — *Imperfekt*) den Fremden und (bitten — *Imperfekt*) um
Geld. (7) Meine Frau (ertragen — *Präsens*) den Lärm nicht

mehr. (8) Er (lassen — *Präsens*) sich nicht so leicht abfinden. (9) Das (können — *Perfekt*) ich nie verstehen. (10) **Warum** (lassen — *Perfekt*) du ihn nicht kommen?

6. Übersetzen Sie:

(1) Have you been able to translate these sentences? (2) My sister has had to wait an hour for you already. (3) I have always wanted to visit Düsseldorf. (4) They haven't been allowed to come here this evening. (5) Because he has lost his ticket he has had to go back home to ask his father for money. (6) He has been unable to have his hair cut to-day. (7) He owes his success to his own efforts. (8) He has had to say thank you again and again.

7. Übersetzen Sie:

A friend of mine has asked me to go with him to Düsseldorf this year, and I am looking forward to it very much. I have often heard of the famous Königsallee with its modern shops and its elegant cafés. The Altstadt, too, must be very beautiful in quite a different way. We shall certainly visit some of the old inns which are so typical of the Rhenish tradition. Perhaps the weather will be very hot, and then we shall sit in the Hofgarten in the shade of the trees, for I have never been able to endure hot weather. During our stay in this famous Rhenish capital we shall probably take a trip by motor-boat down the Rhine to Kaiserswerth, which is famous for its coffee and cake.

WIESBADEN

Der D-Zug *Köln—Niederlahnstein—Frankfurt am Main*
fuhr langsam in die Bahnhofshalle von Wiesbaden ein.
Familie London hatte soeben eine sehr schöne Bahnfahrt
den Rhein entlang hinter sich und freute sich nun auf die
berühmte Bäderstadt Wiesbaden. „Hier brauchen wir uns
nicht allzulange aufzuhalten," sagte Herr London, als sie
aus dem Zug ausstiegen. „Wiesbaden ist ein typischer
deutscher Kurort, und wir werden im Laufe unserer Deutschlandreise wahrscheinlich mehrere ähnliche Kurorte sehen.
Ich schlage also vor, wir machen einen Spaziergang durch
die Anlagen und kommen auf diesem Weg zum Kurpark,
der ja das Ziel aller Reisenden ist, die nach Wiesbaden
kommen."

Auf ihrem Bummel durch die Stadt jedoch fand Familie
London, dass Wiesbaden den Charakter eines deutschen
Kurortes in gewisser Hinsicht verloren hatte. Sie empfanden
es irgendwie als störend, auf den Strassen eines Badeortes
dem Verkehr immer wieder aus dem Wege laufen zu müssen.
Wiesbaden hatte sich zu einer modernen Grossstadt entwik-
kelt. Hier fand man nicht die Ruhe, die man erwartet
hatte. Im Gegenteil! Die Strassen wimmelten von Menschen, und die Geschäfte und die Gaststätten waren gedrängt
voll.

Sobald sie das Kurhaus erreichten, verschwand jedoch die
Atmosphäre der Grossstadt ganz und gar. Hier hatte man
das Gefühl, wieder in einer romantischen deutschen Stadt
zu sein. Hier war alles noch ganz so, wie sie es vorher auf
Bildern und in Büchern gesehen hatten. Das stattliche
Kurhaus, von schönem Rasen umgeben und mit dem Teich
davor, übertraf sogar ihre Erwartungen. Auf die Kinder
machte vor allem der wunderschöne Brunnen in der Mitte des
Teiches einen sehr grossen Eindruck.

Das Wiesbadener Kurhaus ist eigentlich nur für ganz
vornehme Leute. Da der Eintrittspreis einschliesslich Mor-

genkonzert jedoch nur 75 Pfg. betrug, konnten unsere Freunde es sich erlauben, auch einmal vornehm zu sein. Sie fühlten sich sogar moralisch verpflichtet, ihrer Erziehung dieses kleine Opfer zu bringen, als zwei typische Ruhrkumpel, die am Eingang standen und sich über die Preistafel unterhielten, kopfschüttelnd sagten: „Nee, für das Geld trinken wir lieber ein Glas Bier."

Als Familie London später im kleinen Konzertsaal neben der Mineralquelle sass und die aristokratischen Gesichtszüge vieler vornehmen Badegäste betrachtete, die warmes Mineralwasser aus grossen Gläsern tranken, stellte sie fest, dass die beiden Materialisten aus dem Ruhrgebiet doch richtig gewählt hatten. Solche Ruhrkumpelgesichter passen zu einem Glas warmen Mineralwassers genau so wenig wie die Gesichter, die sich nun hinter den Wassergläsern versteckten, zu einem Glas Bier passen.

Herr und Frau London und ihre beiden Kinder kamen aber völlig auf ihre Kosten. Sie probierten das Mineralwasser (fanden den Geschmack zwar scheusslich) und freuten sich an dem Konzert, welches einige ganz hervorragende Musiker gaben. Nacher gingen sie durch die schönen Anlagen spazieren, bewunderten die Blumenbeete und die Sträucher und ergötzten sich an dem Anblick der bewaldeten Höhen des Taunusgebirges, die Wiesbaden überragen.

VOKABELN

die **Bäderstadt** (¨e), spa, watering-place

der **Charakter** (-e), character

die **Gaststätte** (-n), restaurant

das **Gefühl** (-e), feeling

die **Erwartung** (-en), expectation

der **Eintrittspreis** (-e), admission fee

das **Opfer** (-), sacrifice (also 'victim')

die **Preistafel** (-n), list of admission charges

die **Mineralquelle** (-n), mineral spring

das **Ziel** (-e), goal, aim

das **Gegenteil** (-e), contrary

die **Atmosphäre** (-n), atmosphere

das **Bild** (-er), picture

der **Eindruck** (¨e), impression

die **Erziehung** (-en), education

der **Kumpel** (-), miner

der **Saal** (**Säle**), hall

der **Gesichtszug** (¨e), feature

der **Materialist** (-en, -en), materialist
der **Strauch** ("er), shrub
die **Höhe** (-n), hill, peak

der **Musiker** (-), musician

der **Anblick** (-e), sight, spectacle
das **Gebirge** (-), range of mountains

langsam, slowly
entlang, along
gedrängt, crowded
vorher, beforehand, before (adv.)
vornehm, better class, refined
moralisch, morally
lieber, rather
völlig, entirely, completely
hervorragend, outstanding

soeben, just
störend, disturbing
sobald, as soon as
stattlich, magnificent, imposing
einschliesslich, inclusive of
verpflichtet, obliged
wenig, little (adv.)
scheusslich, horrible
bewaldet, wooded

Schwache Verben

sich (dative) **erlauben,** to afford
sich fühlen, to feel (intrans.)
wimmeln, to teem
schütteln, to shake
passen, to suit

sich verstecken, to hide (intrans.)
überragen (insep.), to tower above

Starke Verben

*einfahren (sep.), to enter
sich aufhalten (sep.), to stay
vorschlagen (sep.), to suggest
empfinden, to feel (figurative)
sich unterhalten (insep.), to converse
scheinen, to seem

*verschwinden, to disappear

ZUM LERNEN

im Laufe unserer Reise — in the course of our journey
auf Deutsch (Englisch, usw.) — in German (English, etc.)
im Gegenteil — on the contrary
ganz und gar — utterly and completely
Ich kann es mir erlauben. — I can afford it.
(Er kann es sich erlauben.)
Ich bringe ein Opfer. — I make a sacrifice.
Sie passen zu einander. — They suit each other. (They are well suited to each other.)
Sie freuen sich *an* dem Konzert. — They delight in the concert.
Ich kam auf meine Kosten. — I got my money's worth.

* conjugated with **sein**

GRAMMATIK

Declension of Adjectives after other Adjectives

Whilst most adjectives do not affect the declension of a subsequent adjective in the same way as articles, demonstrative and possessive adjectives do, there are several exceptions to this rule.

1. **Alle** and **solche** impose the weak ending on other adjectives in all four cases.

> *e.g.* **solche armen Leute**
> **das Leben solcher armen Leute**
> **alle kleinen Kinder**
> **die Gefühle aller guten Menschen**

2. **Viele, mehrere** and **einige** impose the weak ending in the genitive.

> *e.g.* **die Erziehung vieler intelligenten Leute**
> **die Strassen mehrerer grossen Städte**
> **die Fenster einiger neuen Häuser**

but **Ich habe einige gute Bücher (mehrere gute Bücher).**

The Present Participle

The present participle, formed by adding **d** to the infinitive, is generally used adjectivally.

e.g. **hervorragend,** outstanding   **passend,** suitable
das wachsende Gefühl, the growing feeling

It may occasionally be used verbally in certain isolated instances.

e.g. **Kopfschüttelnd sagte er ...** Shaking his head he said ...

Translation of the English present participle with verbal force will be discussed in a later lesson.

AUFGABEN

1. Beantworten Sie folgende Fragen:

(1) Wohin gehen alle Reisenden, die nach Wiesbaden kommen?
(2) Was empfand Familie London als störend?   (3) Wie hat sich Wiesbaden entwickelt?   (4) Was für ein Gefühl hatte man im

Kurhaus? (5) Was machte vor allem Eindruck auf die Kinder? (6) Für wen ist das Wiesbadener Kurhaus eigentlich da? (7) Warum konnte Familie London es sich erlauben, in das Kurhaus einzutreten? (8) Warum wollten die beiden Ruhrkumpel nicht hineingehen? (9) Was für eine Quelle gibt es im Kurhaus? (10) Was tranken die Badegäste aus grossen Gläsern? (11) Was bewunderten die Engländer in den Anlagen? (12) Welches Gebirge überragt Wiesbaden?

2. **Ergänzen Sie:**

(1) Viel— vornehm— Leute besuchen d— schön— Kurhaus in Wiesbaden. (2) Einig— ganz hervorragend— Musiker gaben ei— sehr gut— Konzert. (3) D— Gesicht— mehrer— alt— Gäst— machen ei— sehr vornehm— Eindruck. (4) Solch— stattlich— Kurhäus— findet man nur in Deutschland. (5) All— deutsch— Bäderstädt— haben warm— Mineralquell— . (6) — Laufe d— Nachmittag— trafen wir einig— bekannt— Musiker. (7) Vornehm— Leute haben manchmal ganz aristokratisch— Gesichtszüg— . (8) Sie freut— sich — d— herrlich— Konzert. (9) D— Kind— viel— Deutsch—, die ih— Ferien in England verbringen, lernen Englisch in d— Schule. (10) Das Kurhaus ist von schön— grün— Rasen umgeben.

3. **Geben Sie die richtige Form des Verbs:**

(1) Ich (können — *Perfekt*) es mir leider nicht erlauben. (2) Der Zug (einfahren — *Imperfekt*) in die Bahnhofshalle. (3) Der Eintrittspreis (betragen — *Präsens*) nur eine Mark. (4) Wo (sich verstecken — *Perfekt*) sie? (5) Was (vorschlagen — *Imperfekt*) er zuerst? (6) Wie lange (sich aufhalten — *Perfekt*) Sie dort? (7) Wir (sich unterhalten — *Perfekt*) eine Stunde lang darüber. (8) Die Kinder (scheinen — *Imperfekt*) schon müde zu sein. (9) Die Strassen (wimmeln — *Imperfekt*) von Menschen. (10) Wir (sich fühlen — *Imperfekt*) dazu verpflichtet.

4. **Übersetzen Sie:**

(1) Not many Germans read so many English books. (2) Several old people were drinking mineral water from large glasses. (3) All good children go early to bed. (4) We must be ready (bereit) to make sacrifices. (5) The character of many German watering-places is quite romantic. (6) We certainly got our money's worth. (7) Do you think that you can afford it? (8) When we arrived we found that he had disappeared. (9) When I suggested a walk in the grounds he shook his head. (10) The concert made a very great impression on her.

5. Ergänzen Sie:

(a) durch ein passendes Verbum:

(1) Diese beiden Leute — nicht zu einander, denn sie haben nicht die selben Interessen. (2) Ein so grosses Opfer kann ich nicht — . (3) Die bewaldeten Berge — die Stadt. (4) Weil das Konzert immer so schön ist, werden Sie bestimmt auf Ihre Kosten — . (5) Das Kind hatte sich — , aber wir haben es bald gefunden.

(b) durch eine passende Präposition:

(1) Wir können uns — Deutsch und Englisch unterhalten. (2) Wiesbaden hat sich — einer modernen Grossstadt entwickelt. (3) — mein Geld erwarte ich etwas Gutes. (4) Das Konzert passt nicht — der Atmosphäre in diesem Konzertsaal. (5) Die Stadt ist — hohen Bergen umgeben.

6. Übersetzen Sie:

When I went with my wife and children to Wiesbaden a year ago I found the town somewhat different from what I had expected. It is just as beautiful as all other watering-places in Germany, but I saw so much traffic and so many modern shops that the place seemed to have lost its character. A walk through the park to the Kurhaus, however, made (use 'lassen') me feel that the town was not utterly and completely unromantic. The Kurhaus with its mineral spring and its delightful little concert hall even exceeded my expectations. We tried the mineral water but found the taste horrible. Nevertheless many Germans go there just (say 'only') to drink the water, not because it tastes good but because it is good for them. A small orchestra, which consisted of a few outstanding musicians, gave a very good concert while we were there. In spite of the mineral water we thus got our money's worth!

WIEDERHOLUNG

1. Schreiben Sie einen Aufsatz von etwa 100 Wörtern über:

(*a*) Vorbereitungen für die Sommerferien

(*b*) Düsseldorf

2. Wiederholen Sie im Imperfekt und im Perfekt:

(1) Der Junge sieht sich um und entfernt sich schnell. (2) Ich kann die Rechnung nicht begleichen, weil ich kein Geld habe. (3) Er wäscht sich und zieht sich an, dann geht er in das Esszimmer hinunter. (4) Musst du immer zu Hause bleiben? (5) Dieser Kellner verdient nicht sehr viel, da er nur nachmittags arbeitet. (6) Die Schönheit dieser Stadt entspricht ganz unseren Ertwartungen. (7) Das darf ich nicht. Deswegen langweile ich mich. (8) Meine Eltern bringen täglich grosse Opfer. (9) Am nächsten Tag setze ich meine Reise fort. (10) Da er es so sehr bereut, tut er es nie wieder.

3. Ergänzen Sie durch eine passende Präposition:

(1) Freuen Sie sich — die Ferien, die nächste Woche beginnen? (2) Nun wollen wir uns wieder — den Weg machen. (3) Wenn Sie zuhören, werden Sie Einblick — seine Pläne gewinnen. (4) Er war sogleich — mir her. (5) Bist du — deine Kosten gekommen? (6) Sagen Sie es bitte — Deutsch! (7) Wir passen leider nicht — einander. (8) — die Dauer wird er den Lärm nicht ertragen können. (9) Dann müssen Sie — ihn warten. (10) Die Strassen wimmeln — Menschen.

4. Übersetzen Sie:

(1) Please sit down. (2) Do you feel tired? (3) He has a bad reputation. (4) In the course of the day we saw many strangers. (5) We expressed our thanks for the advice. (6) We shall have to make new plans. (7) They are not looking forward to it. (8) Do you like him? (9) Are you pleased with the results? (10) How long had they been ill when you went there?

Heidelberg am Neckar

Düsseldorf: Altstadtufer

Düsseldorf: Königsallee

5. Ergänzen Sie:

(1) Seit einig— Tag— wohnt er in Düsseldorf. (2) Mei— Eltern
verdanke ich alles, — ich habe. (3) Solch— gut— Konzerte hört
man selten. (4) Wundern Sie sich über d— Atmosphäre dies—
modern— Grossstadt? (5) Die Stadt hat ih— romantisch—
Charakter schon ganz verloren. (6) Die Lieder viel— euro-
päisch— Länder sind sehr schön. (7) Einig— neu— Büch— lagen
auf d— Tisch, als ich in d— Zimmer eintrat. (8) Auf d—
gegenüberliegend— Seite sah ich ei— gross— Lebensmittelge-
schäft. (9) Ich habe mich über dei— lang— Brief sehr gefreut.
(10) Er will sei— lang— Sommerferien in d— wohltuend— Luft
ei— klein— Kurort— verbringen.

6. Übersetzen Sie:

(1) Are you surprised at that? (2) We had not been able to
write to him. (3) Have you made up your mind already?
(4) Why don't you listen? (5) Are you busy with your work?
(6) Wash yourself and come down! (7) They spent a few interesting days in Munich. (8) To finish up we had dinner in a
restaurant. (9) Have a look at the Kurhaus when you go to
Wiesbaden. (10) He came here only a short time ago.

7. Setzen Sie in den Plural:

(1) Ich freue mich über Ihren guten Einfall. (2) Diese schöne
Burg ist noch sehr gut erhalten. (3) Er hat eine sehr anstrengende Tour gemacht. (4) Welche Angelegenheit bespricht er
mit seinem deutschen Freund? (5) Jener Fremde langweilt sich,
weil das Kino geschlossen ist. (6) Wegen ihrer alten Tradition
besuchen viele Leute diese romantische Burg. (7) Da er dich
gesehen hat, musst du dich jetzt entfernen. (8) Du darfst nicht
zudringlich werden. (9) Ich sah mir das schöne Kurhaus an.
(10) Ich werde mir bald ein neues Haus bauen lassen.

8. Übersetzen Sie:

A friend of mine, who was a soldier in Germany after the
second world-war, decided to return to Germany with his wife
and children to introduce them to the towns in which he had spent
a whole year. As they were all looking forward very much to
their holidays he asked a German friend what he should (sollte)
show them and where he should take them. The friend was
very surprised when he heard that the children had been learning
German for some months.

First of all they went to Düsseldorf and spent a few days there.
In this city they saw the famous Königsallee, went to the theatre,

D.S.D.—C

made a motor-boat trip on the Rhine and visited several interesting old inns in the Altstadt. From Düsseldorf they continued their journey southwards and stayed a few days in Wiesbaden. The streets of this town seemed to be teeming with people, for it has developed into a modern city. The Kurhaus with its beautiful grounds made a great impression on them and they admired above all the wooded hills of the Taunus mountains which tower above Wiesbaden.

HEIDELBERG

„In zwanzig Minuten sind wir schon da," sagte Herr London. Er sass mit seiner Frau und seinen Kindern im Zug, und sie verliessen gerade den Mannheimer Bahnhof. „Ich kann nicht glauben, dass es in Heidelberg so schön ist," sagte Frau London. „Hier ist das Gelände so flach und eintönig, und man sieht nichts als Industrie. Kann die Landschaft sich wirklich so schnell ändern?" „Warte nur ab!" antwortete Herr London. „Du wirst dich wundern."

Bald stellte es sich heraus, dass er recht hatte. Kaum hatten sie den Mannheimer Bahnhof zurückgelassen, da sahen sie schon in nicht allzuweiter Ferne die blauen Berge des Neckartals. Dieser erste Blick auf das hügelige Gelände auf beiden Ufern des Neckars kam ihnen wie eine Verheissung vor. Die Neckarlandschaft winkte ihnen zu wie eine Oase in der Wüste. Eine Viertelstunde später liefen sie in den Heidelberger Hauptbahnhof ein. Dann kam die Enttäuschung. Sollte die verlockende Oase schliesslich doch nur eine Luftspiegelung sein? „Hier gefällt es mir gar nicht," sagte die kleine Mary, als sie aus dem Bahnhof auf die Strasse hinaustraten und über das Verkehrsgeräusch erschraken, das sie dort empfing.

Dieser erste schlechte Eindruck von Heidelberg war aber glücklicherweise nur vorübergehender Natur. Schliesslich gelang es ihnen, den Fahrdamm mit heiler Haut zu überqueren, und bald kamen sie in ein ruhiges Stadtviertel und erreichten ein paar Minuten später den Fluss. Dort standen sie auf der alten Brücke und nahmen die ganze Herrlichkeit der unaussprechlich schönen Landschaft in sich auf, dieser Landschaft, welche grosse Dichter beinahe als eine Aufforderung an ihre Kunst empfunden haben. Immer wieder kehrte ihr Blick zu den Höhen oberhalb der Stadt zurück, wo die Schlossruine aus dem dunklen Grün der Bäume herniederschaut.

Von der alten Brücke kamen sie in wenigen Minuten in die

Altstadt mit dem alten Markt, wo die vielen antiquarischen
Buchhandlungen den Bücherfreund zum längeren Verweilen
locken, und den berühmten Studentenlokalen. Heidelberg,
in so vielen bekannten Liedern als die Stadt der Alma Mater
am Neckar besungen, bereitete unseren Freunden auch in
dieser Hinsicht eine Freude. Obgleich die Studentenlokale
gedrängt voll zu sein schienen, fanden sie doch noch Platz
unter dem bunten Gewimmel im Roten Ochsen, wo Studen-
ten und Bürger von Heidelberg beieinander sassen und mit
grosser Begeisterung Studentenlieder und moderne Schlager
sangen. Das war wahrhaftig ein Erlebnis!

Genau so interessant, obgleich auf andere Art, war der
Besuch, den Familie London am nächsten Morgen dem
Heidelberger Schloss abstattete. Dieses prächtige Schloss, das
durch die Kriege des 17ten Jahrhunderts so sehr gelitten hat,
hat für alle Besucher einen Zauber, den der romantische
Dichter Ludwig Uhland sehr schön zum Ausdruck gebracht
hat:

> *Du siehst vom hohen Bergesrücken[1]*
> *Das Schloss im Sonnenstrahle blicken,*
> *Mit Türmen[2] und mit Zinnen[3] prangen,*
> *Mit tiefen Gräben[4] rings umfangen,[5]*
> *Voll goldner Bilder allerorten,[6]*
> *Zween[7] Marmorlöwen an der Pforten.[8]*
>
> *Doch drinnen ist es öd[9] und stille,*
> *Im Hofe[10] hohes Gras in Fülle,[11]*
> *Im Graben quillt[12] das Wasser nimmer,[13]*
> *Im Haus ist Treppe nicht und Zimmer,*
> *Ringsum die Efeuranken[14] schleichen,[15]*
> *Zugvögel[16] durch die Fenster streichen.[17]*

Unter anderem sahen Herr und Frau London und ihre Kinder
auch das Riesenfass, das genau so berühmt geworden ist wie sein
sagenhafter Wächter, der Zwerg Perkeo mit dem Riesendurst.

Drei sehr vergnügte Tage brachte Familie London in
Heidelberg zu. Besonders schön war ein Ausflug mit dem
Dampfer nach Neckar-Steinach, berühmt wegen seiner vier
Burgen. Hoch interessant fanden sie das Stauwerk, welches
an mehreren Stellen die Schiffahrt sichert. In Neckar-

---

1 ridge   2 towers   3 battlements   4 moats   5 surrounded   6 everywhere
7 two   8 gate (*Pforte*)   9 desolate   10 courtyard   11 abundance   12 springs
13 *nicht mehr*   14 ivy tendrils   15 creep   16 birds of passage   17 fly (poetical)

Steinach sprach Herr London mit einem alten Einwohner des Ortes, der sich an die Treidelschiffahrt noch erinnern konnte. An den gefährlichen Stellen des Neckars, wo die Ruder versagten, musste man vor langen Jahren das Schiff vom Ufer aus ziehen. Heutzutage braucht man zwar eine halbe Stunde, um durch die Schleusen zu kommen, aber es geht immer noch schneller als in alten Zeiten, wo Menschen und später Pferde die Schiffe ziehen mussten.

Als der Tag kam, an dem sie Heidelberg verlassen mussten, erinnerte Herr London seine Frau an die Zweifel, die sie damals im Zuge geäussert hatte. „Jetzt kannst du wohl verstehen," sagte er, „warum der Dichter Scheffel diese Stadt in seinen Versen so lobte:

> *Alt-Heidelberg, du feine,*
> *Du Stadt an Ehren[1] reich,*
> *Am Neckar und am Rheine,*
> *Kein' andre kommt dir gleich.*

Ich glaube, dass wir diese Tage in Heidelberg nie vergessen werden."

VOKABELN

das **Gelände** (-), countryside
die **Landschaft** (-en), scenery
die **Verheissung** (-en), promise
die **Wüste** (-n), desert

das **Tal** (¨er), valley
die **Luftspiegelung** (-en), mirage
die **Natur** (-en), nature

die **Haut** (¨e), skin
die **Herrlichkeit** (-en), splendour, glory
der **Dichter** (-), poet
die **Ruine** (-n), ruin

der **Student** (-en, -en), student
das **Gewimmel** (-), throng, busy crowd
die **Begeisterung**, enthusiasm

die **Industrie** (-n), industry
die **Ferne**, distance, remoteness
die **Oase** (-n), oasis
die **Enttäuschung** (-en), disappointment

das **Geräusch** (-e), noise, sound
der **Fahrdamm** (¨e), road, roadway
die **Brücke** (-n), bridge
die **Aufforderung** (-en), challenge
die **Kunst** (¨e), art
der **Markt** (¨e), market, market place
der **Bürger** (-), citizen
der **Schlager** (-), popular song 'hit'
das **Erlebnis** (-nisse), experience

[1] honours

der **Besucher** (-), visitor
der **Ausdruck** (¨e), expression
der **Zwerg** (-e), dwarf
der **Riese** (-n, -n), giant

das **Schiff** (-e), ship
der **Einwohner** (-), inhabitant

das **Ruder** (-), oar
die **Schleuse** (-n), sluice, lock
der **Zweifel** (-), doubt

der **Zauber** (-), magic, charm
der **Wächter** (-), guard
das **Fass** (¨er), cask, barrel
das **Stauwerk** (-e), system of locks or sluices
die **Schiffahrt** (-en), navigation
die **Treidelschiffahrt**, system of towing ships by rope
der **Ort** (-e), place, locality
das **Pferd** (-e), horse
das **Jahrhundert** (-e), century

flach, flat

heil, whole, unhurt

oberhalb, above

antiquarisch, second-hand
sagenhaft, legendary
eintönig, monotonous

glücklicherweise, fortunately
unaussprechlich, inexpressibly
länger, longer, fairly long
prächtig, magnificent

gefährlich, dangerous

hügelig, hilly

vorübergehend, temporary
bunt, motley

vergnügt, pleasant, enjoyable

Schwache Verben

sich ändern, to alter
abwarten (*sep.*), to wait and see
sich herausstellen (*sep.*), to transpire
zuwinken (*sep.*), to wave to, to beckon
herniederschauen (*sep.*), to look down
verweilen, to linger

locken, to tempt, to attract
bereiten, to prepare, to have in store
abstatten (*sep.*), to pay (visit)
sichern, to make safe
sich erinnern, to remember
erinnern, to remind
versagen, to fail
äussern, to express, to utter

Starke Verben

verlassen, to leave (*trans.*)
***vorkommen** (*sep.*), to appear

***einlaufen** (*sep.*), to enter

***erschrecken,** to be alarmed, to get a fright
empfangen, to receive (person)

***gelingen** (*impersonal, subject* **es**), to succeed
aufnehmen (*sep.*), to absorb
besingen, to sing of

ziehen, to pull

* conjugated with **sein**

ZUM LERNEN

nichts als	nothing but
Es kommt mir komisch vor.	It seems funny to me.
Er erschrickt über das Geräusch.	The noise alarms him.
Es war nur vorübergehender Natur.	It was only of a temporary nature.
Es gelingt mir, es zu tun.	I succeed in doing it.
Er nahm die Schönheit der Landschaft in sich auf.	He took in the beauty of the scenery.
mit heiler Haut	unhurt, unharmed
Die Stadt lockt ihn zum längeren Verweilen.	The town tempts him to linger rather a long time.
Es bereitete mir eine Freude.	It gave me pleasure.
Ich bringe es zum Ausdruck.	I express it.
unter anderem	among other things
hoch interessant	extremely interesting
Ich erinnere mich an den Tag.	I remember the day.
Ich erinnere mich daran.	I remember it.
Ich erinnere ihn daran.	I remind him of it.
Er hat versagt.	He was a failure. He failed.

GRAMMATIK

Word Order

The student should find it useful at this stage to summarise and revise the rules relating to the position of the verb.

1. *Main Clauses*

(*a*) The finite verb must always be the second *idea* in the clause, though not necessarily the second *word*. One may, for example, begin with the subject, which may have an enlargement consisting of several words.

e.g. **Der kleine Mann mit dem grossen Kopf spricht ein sehr komisches Deutsch.**

If one begins the clause with some idea other than the subject—for example, an adverbial expression of time or place or with the object—inversion of subject and verb must take place, so that the finite verb still remains the second idea.

e.g. **Morgen um acht Uhr fahre ich mit dir nach Köln.**
Meinen Pass hält der Beamte in der Hand.

(*b*) Remember that in a main clause an infinitive or past participle always goes to the end.

e.g. **Ich habe ihn heute morgen in der Stadt gesehen.**
Wir können die Berge von hier aus nicht sehen.

(*c*) Note that reflexive pronouns always follow immediately after the finite verb.

  e.g. **Ich erinnere mich leider nicht mehr daran.**
    Er wird sich sehr darüber freuen.
    Wir haben uns auch oft damit beschäftigt.

2. *Subordinate Clauses*

(*a*) The finite verb goes to the end of the clause in all types of subordinate clause. In compound tenses it follows the infinitive or past participle.

e.g. **Der Dichter, von dem Sie mit solcher Begeisterung**
    sprechen, hat sehr schöne Gedichte geschrieben.
    Der Freund, dem wir vorige Woche begegnet sind,
    hat die Stadt jetzt verlassen.

(*b*) Where the complex sentence begins with the subordinate clause inversion takes place in the main clause.

e.g. **Weil wir ihn so lange nicht mehr gesehen haben,**
    wissen wir nicht, was er jetzt will.

(*c*) The reflexive pronoun follows immediately after the subject.

e.g. **Da er sich so sehr darauf gefreut hat, müssen wir**
    doch mitgehen.

(*d*) When the perfect tense of a modal auxiliary verb governing an infinitive is used in a subordinate clause, the three verbs go to the end but the finite verb precedes the other two.

e.g. **Er hat es nicht getan, weil er es nicht hat tun**
    können.

Adjectival Use of Place Names

When used adjectivally, names of places are always declined by adding **er**, irrespective of gender, number or case.

e.g. **eine Kölner Strasse; auf dem Heidelberger Bahnhof; der Londoner Zoo; die Pariser Cafés.**

AUFGABEN

1. Beantworten Sie folgende Fragen:

(1) Warum glaubte Frau London nicht alles, was sie über die Schönheit von Heidelberg gehört hatte? (2) Wie kam ihnen ihr erster Blick auf die Heidelberger Landschaft vor? (3) Was hat ihnen bei der Ankunft in Heidelberg nicht gefallen? (4) Was schaut aus dem dunklen Grün der Wälder auf das Neckertal hinunter? (5) Durch welche Kriege hat das Heidelberger Schloss so sehr gelitten? (6) Wo geht man hin, um Studentenlieder zu hören? (7) Warum hat man in der Nähe von Heidelberg ein Stauwerk im Fluss gebaut? (8) Was musste man in alten Zeiten an den gefährlichen Stellen des Neckars tun? (9) Nennen Sie zwei Dichter, die Heidelberg besungen haben! (10) Warum erinnerte Herr London seine Frau an die Zweifel, die sie im Zug auf dem Wege nach Heidelberg geäussert hatte?

2. Geben Sie die richtige Form des Verbs:

(1) Weil Sie (können — *Perfekt*) sich nicht mehr daran erinnern, (müssen — *Perfekt*) Sie noch einmal fragen. (2) Das Wetter (sich ändern — *Perfekt*) sich sehr schnell. (3) Er (verlassen — *Imperfekt*) die Stadt gestern um acht Uhr. (4) Obwohl die Stadt durch den Krieg so sehr (leiden — *Imperfekt*), (fahren — *Präsens*) mein Vater immer wieder gern hin. (5) Warum (erschrecken — *Perfekt*) du so sehr darüber? (6) (Sich erinnern — *Präsens*) du an den Mann, der dieses Lied (wollen — *Perfekt*) singen? (7) Leider (gelingen — *Perfekt*) es uns nicht, ihn vor der Abfahrt zu erreichen. (8) Ich (abstatten — *Perfekt*) ihm gestern einen Besuch. (9) Vielleicht (sich erinnern — *Futur*) er nicht mehr an diesen Ort. (10) Damals (ziehen — *Imperfekt*) Pferde manchmal die Schiffe.

3. Ergänzen Sie:

(1) Ich kann nicht so viel Schönheit in — aufnehmen. (2) Erinnern Sie sich — d— schön— Lied, d— man gesungen hat? (3) In welch— Jahrhundert hat dies— gross— Dichter gelebt? (4) Ich erschrak — d— Ausdruck, d— er gebraucht hatte. (5) D— Student— gelang es nicht, sei— Begeisterung — Ausdruck zu bringen. (6) Unter ander— gefiel d— Köln—

Familie d— herrlich— Schlossruine. (7) Auf d— Heidelberg—
Strassen sieht man kei— sehr gross— Verkehr. (8) Glücklicherweise kamen d— gut— Bürger mit heil— Haut über d— Strasse.
(9) Unser— beid— Kind— kam d— Fass in d— Heidelberg—
Schloss ausserordentlich gross vor. (10) In Heidelberg haben
wir viel— vergnügt— Tage zugebracht.

4. Übersetzen Sie:

(1) Do you think that he will be able to help us? (2) Last week
he received us with several other inhabitants of the place in his
own house. (3) Since he has not yet returned they will not
want to leave the house. (4) The train had not yet entered the
station. (5) They won't remember it. (6) Why did they fail?
(7) The town had a great disappointment in store for me. (8)
After they had recovered from their disappointment they succeeded in making new plans. (9) You must remind her of his
advice. (10) It seemed very interesting to them.

5. Wiederholen Sie (a) im Imperfekt, (b) im Perfekt, (c)
im Futur:

(1) Der Blick ändert sich manchmal sehr schnell. (2) Er steht
an der Tür und winkt mir zu. (3) Das Stauwerk sichert die
Schiffahrt. (4) Manchmal leidet sie sehr darunter. (5) Da
er uns nicht empfangen will, gehen wir nicht hin. (6) Deswegen
versagt er ganz und gar. (7) Weil er so sehr erschrickt, kann er
kein Wort sagen. (8) Sobald der Zug einläuft, verlässt sie
mich.

6. Übersetzen Sie:

On my way to Heidelberg from Mainz I travelled via Mann-
heim, where I saw nothing but industry and found the countryside very flat and monotonous. Soon it transpired, however,
that the friend who had told me so much about the beauty of
the scenery in the Neckar valley had not exaggerated. From
the old bridge I was able to look up to the castle of which so many
poets have sung. When I visited it next day I found it just as
beautiful and romantic as in the well-known lines of the poet
Ludwig Uhland.

The old part of the town (Altstadt) with its inns, its market
and its many second-hand bookshops was also extremely interesting, especially as I am a lover of books. I succeeded in learning
some of the students' songs which I heard in one of the inns.
Never shall I forget the enjoyable days that I spent in this delightful town on the Neckar.

STUTTGART

Brief von Herrn London an seinen Bruder

Stuttgart, den 10. August 1954.

Lieber Harry!

Endlich komme ich dazu, Dir den versprochenen Brief zu schreiben. Es hat uns allen sehr leid getan, dass Du dieses Jahr nicht mit nach Deutschland fahren konntest. Um so mehr wird es uns freuen, wenn Du nächstes Jahr mitfährst, denn wir hoffen bestimmt, auch unsere nächsten Sommerferien in Deutschland zu verbringen. Hoffentlich geht es Dir trotz der vielen Arbeit noch recht gut. Ich kann mir denken, dass Du mit grosser Sehnsucht Deinem Urlaub entgegensiehst.

Seit drei Tagen sind wir schon in Stuttgart. Wie ich Dir durch meine Postkarte schon mitgeteilt habe, haben wir Heidelberg am 7. August verlassen. Von Heidelberg bis Stuttgart fährt man nur zwei Stunden, aber der Zug war voll, und wir mussten im Gang stehen. Wie dankbar waren wir also, als der Schaffner, ganz im Sinne des Schlagwortes der Bundesbahn: „Die Erholung beginnt auf der Reise," und wahrscheinlich, weil wir von London kamen, uns sagte, wir sollten in der zweiten Klasse Platz nehmen. Überhaupt muss ich feststellen, dass die Bundesbahn Wert darauf legt, dass die Reise bequem und angenehm verläuft. Sogar eine Lektüre in der Form eines sogenannten D-Zugbegleiters war vorhanden. Unter anderem enthielt diese kleine Broschüre einen Auszug aus dem Fahrplan, damit man die Pünktlichkeit des Zuges kontrollieren konnte.

Für Erfrischungen war auch gesorgt. Die Deutsche Speisewagen-Gesellschaft (D.S.G.) stellt in jedem Abteil Auszüge aus ihrem Preisverzeichnis zur Verfügung. Damit der Gast den Eindruck bekommt, dass das Interesse der D.S.G an ihm kein rein kommerzielles ist, steht oben auf der Broschüre: „Wir laden auch Sie freundlichst zur Einnahme

einer Erfrischung oder eines Imbisses im Speisewagen ein."
Für die Leute, die nicht geneigt waren, sich nach dem Speise-
wagen zu begeben, kamen Kellner mit beladenen Körben
voll Getränke durch den Zug.   Bei der Hitze, die seit einigen
Tagen in Süddeutschland herrscht, war das eine sehr will-
kommene Einrichtung.   Übrigens höre ich, dass es seit einer
Woche in England ununterbrochen regnet.   Ihr Armen!
Ihr tut mir wirklich leid!

Und nun wirst Du wahrscheinlich etwas über Stuttgart
hören wollen.   Als wir hier ankamen, war unser erster Gang,
wie immer, zum städtischen Verkehrsamt, wo wir uns ein
sehr nettes und nicht zu teures Zimmer geben liessen.   Man
gab uns auch einige schöne Prospekte von Stuttgart, dieser
,,Grossstadt zwischen Wald und Reben," wie man es so stolz
bezeichnet.   Auf der ersten Seite eines dieser Prospekte
heisst es: ,,Was befriedigt mehr als die Gewissheit, zu fühlen:
Wer einmal in Stuttgart war, kommt gern wieder!" Ich
kann Dir sagen, nach unserer Erfahrung von Stuttgart sind
wir alle der Meinung, dass diese Gewissheit durchaus gerechtfertigt ist.   Ganz abgesehen von den wunderbaren Anlagen
und den eleganten Bauten, hat Stuttgart etwas, was man in
einer so grossen Stadt nicht so leicht wiederfindet.   Eine so
freundliche und gemütliche Atmosphäre findet man selten.

Aber Stuttgart ist ausserdem auch eine prächtige Stadt und
kann sich vieler architektonischen Schönheiten rühmen.
Besonders schön ist der Bahnhofsplatz bei nächtlicher
Beleuchtung, und die Stiftskirche, welche zum Teil aus
dem 12. Jahrhundert stammt, und das Schillerdenkmal
haben wir auch mit grossem Interesse besichtigt.

Was dem Fremden aber vor allem imponiert, sind die
wunderschönen Anlagen, die einen so grossen Teil des Be-
reiches der Stadt einnehmen.   Als die Sonne gestern hier so
heiss brannte, sind wir vom Hauptbahnhof aus auf schattigen
Wegen durch den Park bis nach Bad Canstatt gewandert,
das einige Kilometer von Stuttgart entfernt liegt.   Sehr nett
ist es auch im Schlossgarten.   Da gehen die Kinder immer
wieder gern hin, um die erstaunlich vielen Goldfische im
Becken zu sehen.

Hauptstolz der Stuttgarter ist jedoch der herrliche Höhenpark Killesberg, das Gelände der sogenannten ,,Deutschen
Gartenschau." Einen sehr vergnügten Nachmittag haben wir
auch dort verlebt.   Wunderschönen Blumenbeeten, ge-

pflegten Rasenflächen, Brunnen und Terrassen verdankt dieser riesengrosse Park seinen Reiz. Ein Freibad und verlockende Gaststätten mit Musik sorgen für Unterhaltung und Erfrischungen. Von der Plattform des Aussichtsturms hatten wir einen wunderbaren Blick auf die Umgebung. Mutti wollte die Besteigung nicht mitmachen, weil ihr ja immer schwindelt, wenn sie von hohen Türmen hinunterschaut. Wir haben sie jedoch überredet, und sie hat es nicht bereut, denn die Aussicht war einmalig.

Sehr schöne Wanderungen kann man in der Stuttgarter Gegend auch machen. Vorgestern haben wir einen Spaziergang nach Waiblingen an der Rems, einem kleinen Nebenfluss von dem Neckar gemacht. Wir sind zuerst einige Kilometer mit der Strassenbahn aus Stuttgart hinausgefahren, und sind dann zunächst am Neckar und dann an der Rems entlang gelaufen. Unterwegs sind wir in eine kleine Wirtschaft eingekehrt und haben einen Schoppen von dem spritzigen Wein der Gegend getrunken. Heute nachmittag fahren wir mit Bekannten in ihrem Auto nach Schloss Solitude, in dessen Park Schillers Vater als Gärtner arbeitete.

Man braucht eigentlich mehr als vier Tage, um alles zu sehen, was Stadt und Umgebung zu bieten haben, aber morgen geht's weiter nach München. Wir werden Dir von dort eine Ansichtskarte schicken. Lass auch mal von Dir hören. Du kannst ja hauptpostlagernd nach München schreiben, da wir Dir noch keine Adresse geben können.

Mit vielen herzlichen Grüssen, auch von Mutti und den Kindern, verbleibe ich

Dein

JOHN

VOKABELN

die **Sehnsucht,** longing
die **Lektüre** (-n), reading matter
die **Broschüre** (-n), brochure
die **Pünktlichkeit,** punctuality
die **Verfügung,** disposal
das **Interesse** (-n), interest
das **Getränk** (-e), drink, beverage
die **Rebe** (-n), vine

der **Gang** (¨e), corridor, walk
der **Begleiter** (-), companion

der **Auszug** (¨e), extract
das **Verzeichnis** (-nisse), list
der **Fahrgast** (¨e), passenger
der **Korb** (¨e), basket
die **Einrichtung** (-en), arrangement, device
die **Gewissheit** (-en), certainty

die **Erfahrung** (**-en**), experience
die **Stiftskirche** (**-n**), collegiate church
der **Bereich** (**-e**), (*also neuter*), area, precincts
die **Gartenschau**, garden exhibition
die **Terrasse** (**-n**), terrace
die **Unterhaltung** (**-en**), entertainment
der **Turm** (**¨e**), tower
die **Wanderung** (**-en**), ramble
der **Schoppen** (**-**), glass (of wine)
der **Gärtner** (**-**), gardener
die **Meinung** (**-en**), opinion

die **Beleuchtung** (**-en**), illumination
das **Denkmal** (**¨er**), monument
das **Becken** (**-**), artificial pond
die **Rasenfläche** (**-n**), lawn
das **Freibad** (**¨er**), open-air swimming pool
die **Plattform** (**-en**), platform
die **Besteigung** (**-en**), ascent
der **Nebenfluss** (**¨e**), tributary
der **Bekannte** (*adjectival noun*), acquaintance
der **Gruss** (**¨e**), greeting

vorhanden, available
damit (*conjunction*), in order that
rein, purely
geneigt, inclined
willkommen, welcome
durchaus, entirely, absolutely

dankbar, grateful
komerziell, commercial
freundlichst, very kindly
beladen, laden
ununterbrochen, uninterruptedly
gerechtfertigt, justified
architektonisch, architectural
entfernt, distant, away
gepflegt, carefully tended

abgesehen (**von**), apart from
nächtlich, nocturnal
einmalig, unique
spritzig, piquant, sharp

Schwache Verben

mitteilen (*sep.*), to inform

kontrollieren, to check
herrschen, to prevail, to reign
bezeichnen, to describe, to designate
befriedigen, to satisfy
sich rühmen, to boast

stammen, to date (from)
imponieren, to make an impression
brennen (*irreg.*), to burn (*intrans.*)
*wandern, to wander
überreden (*insep.*), to persuade
schicken, to send

Starke Verben

entgegensehen (*sep.*), to look forward to

*verlaufen, to proceed
enthalten, to contain

einladen (*sep.*), to invite
sich begeben, to go, to betake oneself

einnehmen (*sep.*), to occupy

verbleiben, to remain (*fig.*)

* conjugated with **sein**

ZUM LERNEN

Endlich komme ich dazu, Dir zu schreiben.	At last I have found time to write to you.
Es tut mir leid.	I am sorry.
Sie tun mir leid.	I am sorry for you.
um so mehr	all the more
Ich muss feststellen, dass ...	I must say that ...
Für Erfrischungen war auch gesorgt.	Refreshments were also provided.
Ich stelle es zur Verfügung.	I make it available.
Ich stelle es Ihnen zur Verfügung.	I place it at your disposal.
Unser erster Gang war zum Verkehrsamt.	Our first move was to call at the visitors' advice bureau.
Auf der ersten Seite heisst es ...	On the first page it says ...
Wir sind der Meinung, dass ...	We are of the opinion that ...
ganz abgesehen davon	quite apart from that
Die Stadt kann sich vieler schönen Bauten rühmen.	The town can boast of many fine buildings.
bei nächtlicher Beleuchtung	when it is illuminated at night
Es stammt aus dem zwölften Jahrhundert.	It dates from the 12th century.
Die Familie stammt aus Frankfurt.	The family originated in Frankfurt (hails from Frankfurt).
Es imponiert mir sehr.	It impresses me greatly.
Es geht weiter nach München.	I (we, etc.) go on to Munich.

GRAMMATIK

Impersonal Verbs

(a) There are a number of impersonal verbs connected with the weather used similarly to their English equivalents:

es **regnet** (**regnen,** *w.*)	it is raining
es **donnert** (**donnern,** *w.*)	it is thundering
es **blitzt** (**blitzen,** *w.*)	it is lightning
es **hagelt** (**hageln,** *w.*)	it is hailing
es **friert** (**frieren,** *str.*)	it is freezing
es **taut** (**tauen,** *w.*)	it is thawing

(*b*) A number of impersonal verbs, some governing direct and some indirect objects, are not expressed impersonally in English.   Common examples are:

es **freut mich**	I am pleased
es **ärgert mich**	I am annoyed
es **wundert mich**	I am surprised
es **friert mich**	I am cold
es **fehlt mir** (**an**+*Dat.*)	I lack
es **gelingt mir**	I succeed
es **schwindelt mir**	I am dizzy
es **geht mir gut**	I am well
es **tut mir leid**	I am sorry, I regret

In some instances it is usual to begin with the object and invert verb and subject, in which case the subject **es** is omitted. Thus one says:

mich friert
mir schwindelt

N.B.—Note also the expressions:

mir ist kalt	I am cold
mir ist warm	I am warm
ist Ihnen kalt?	are you cold?

Ich *bin* kalt is used only in the sense '*I am cold in my manner.*'

(*c*) There are a number of other important impersonal usages where no object is specified and which can only be translated by introducing a subject in English or by using a passive construction.

e.g. **es geht weiter**	I (we, he, etc.) go on
es geht los	I (we, he, etc.) start off; a start is made

(*d*) Care is required in using the expression 'there is (are).'

In a general statement not specifying the whereabouts of the person or thing concerned, use **es gibt.**

e.g. **Es gibt keine Butter.**	There is no butter.
Gibt es solche Bücher?	Are there such books?
Es gibt Leute, die das glauben.	There are people who believe that.

Frankfurt am Main

Stuttgart: Höhenpark Killesberg

Dinkelsbühl in Bayern

If the whereabouts is specified, use **es ist** (*singular*) and **es sind** (*plural*).

e.g. **Es ist eine Flasche Wein in dem Schrank.**   There is a bottle of wine in the cupboard.

Es sind zehn Leute in diesem Zimmer.   There are ten people in this room.

Where inversion occurs in such cases **es** is omitted.

> *e.g.* **In dem Schrank ist eine Flasche Wein.**
> **In diesem Zimmer sind zehn Leute.**

The Date

The date is formed quite normally from the ordinal numerals.

> *e.g.* **der erste, der neunzehnte, der einunddreissigste**

As a heading, however, the date is always expressed in the accusative case. It is usually written in figures and abbreviated by means of a full stop to show that it represents the ordinal and not the cardinal numeral.

e.g. **den 15. Juli 1954.** (**den fünfzehnten Juli neunzehnhundertvierundfünfzig**).

In answer to the questions **Der wievielte ist heute?** or **Den wievielten haben wir heute?** one may reply: **Wir haben den fünfzehnten,** or **Es ist der fünfzehnte.**

The months of the year are:

Januar	**Mai**	**September**
Februar	**Juni**	**Oktober**
März	**Juli**	**November**
April	**August**	**Dezember**

N.B.—Note that *on* before days and dates is rendered by **am**.

AUFGABEN

1. Beantworten Sie folgende Fragen:

(1) Was hat Herrn London leid getan? (2) Was muss man tun, wenn der Zug voll ist, und man keinen Platz hat? (3) Was hat der Schaffner zu Familie London gesagt, als sie im Gang standen? (4) Was bedeuten die Buchstaben D.S.G.? (5) Was trugen die Kellner in ihren Körben durch den Zug? (6) Warum war das eine sehr willkommene Einrichtung? (7) Warum kommen die Leute gern wieder, die einmal in Stuttgart waren? (8) Wann ist der Bahnhofsplatz besonders schön? (9) Aus welchem

Jahrhundert stammt die Stiftskirche zum Teil? (10) Welcher
grosse Dichter hat einmal in Stuttgart gelebt? (11) Was imponiert dem Fremden in Stuttgart? (12) Warum wollte Frau
London die Turmbesteigung nicht mitmachen? (13) Was ist
die Rems? (14) Mit wem fuhr Familie London nach Schloss
Solitude? (15) Warum musste der Bruder von Herrn London
hauptpostlagernd nach München schreiben?

2. Geben Sie die richtige Form des Verbs:

(1) Es (freuen — *Perfekt*) mich sehr, das gehört zu haben. (2)
Warum (gelingen — *Perfekt*) es Ihnen nicht, ihn zu finden?
(3) Gestern (mitteilen — *Imperfekt*) er uns, dass Sie uns morgen
sehen wollen. (4) Mir (imponieren — *Perfekt*) die Stadt sehr.
(5) Die Sonne (brennen — *Imperfekt*) so heiss, dass wir nicht aus
dem Schatten herauskommen (wollen — *Imperfekt*). (6) Was
für Nachrichten (enthalten — *Imperfekt*) der Brief, den Sie
gestern (erhalten — *Imperfekt*)? (7) Heute (regnen — *Perfekt*) es
den ganzen Tag. (8) Mich (frieren — *Imperfekt*), weil ich keine
Jacke trug. (9) Wir (überreden — *Perfekt*) ihn trotz allem. (10)
Der Nachmittag (verlaufen — *Imperfekt*) ganz angenehm. (11)
Heute morgen (frieren — *Perfekt*) es stark. (12) Nach dem Essen
(wandern — *Perfekt*) wir mit einigen Freunden nach Bad Canstatt.

3. Setzen Sie in den Plural:

(1) Nach der Erfahrung, die du dort gemacht hast, rühmst du
dich deiner Kenntnis wahrscheinlich nicht mehr. (2) Ein so
grosses Verzeichnis wird ihm bestimmt sehr imponieren. (3)
Es ist kein Getränk mehr in diesem Schrank. (4) Auf der Terrasse des Hotels probierte ich den spritzigen Wein. (5) Ein alter
Bekannter lädt mich heute ein. (6) Abgesehen von seinem
kommerziellen Interesse mag er es auch gern. (7) Manchmal
gelingt es dem Fahrgast nicht, einen Platz im Speisewagen zu
finden. (8) Mich friert, weil das Zimmer so kalt ist. (9) Von
dem Aussichtsturm hatte ich einen herrlichen Blick. (10) Es
ärgert ihn, weil er weiss, dass der Zug voll sein wird.

4. Den wievielten haben wir?

16.7.1948; 25.4.1932; 1.5.1954; 31.12.1901; 4.8.1914.

5. Übersetzen Sie:

(1) It was thundering a few minutes ago and now it is raining.
(2) Has it been hailing? No, it has only been snowing. (3)
Are you surprised? No, but I am annoyed. (4) I am quite
well. How are you? (5) They are short of the necessary money.
(6) I am very sorry for her. (7) I was very sorry that you were
unable to come. (8) Perhaps your sister will succeed in learning

German before she goes to Germany. (9) Are you cold? No, I am too warm. (10) There are many books in this bookcase that I have never read.

6. Ergänzen Sie:

(1) Mei— gut— Freund Karl habe ich mei— sämtlich— Büch— zur Verfügung gestellt. (2) Ich bin auch d— Meinung, dass es dei— Freund nicht gelingen wird. (3) Mein— Eltern tut es sehr leid, dass Sie erst — fünfzehnt— kommen können. (4) Ihr— wunderschön— Anlagen verdankt dies— klein— Stadt ih— Reiz. (5) Mei— neu— Auto imponiert mei— neu— Freundin sehr. (6) — Montag machten wir ei— sehr nett— Spaziergang durch d— schattig— Park. (7) Es sind kei— Blumen mehr in unse— klein— Garten. (8) Bei nächtlich— Beleuchtung sieht d— alt— Rathaus wirklich sehr schön aus. (9) Haben Sie all— Bekannt— dies— Nachricht schon mitgeteilt? (10) Sagen Sie d— Schaffner ganz deutlich Ih— Meinung!

7. Übersetzen Sie:

(1) He will probably arrive at ten a.m. on the 11th of June. (2) In this letter it says that he will not come at all. (3) There are many words which you still have to learn. (4) We shall never be able to persuade him. (5) I shall be pleased to invite you. (6) The conductor is coming to check our tickets. (7) They will be all the more annoyed because you are not there. (8) He even placed his car at my disposal. (9) Quite apart from that, he boasts too much (sehr) of his punctuality. (10) I must say you speak very good English.

8. Schreiben Sie einen Brief an einen guten Freund, in dem Sie einen Tag in Heidelberg beschreiben.

9. Übersetzen Sie:

Although it rained all day yesterday we did not stay at home, for the magnificent town of (omit) Stuttgart has so much to offer and we want to see everything. As the weather was not very good we could not sit in the park, but we took a long walk through the town and saw all the architectural beauties.

To-day the sun is shining again, and we hope to spend the afternoon in the famous Höhenpark Killesberg. This park can boast of extraordinarily beautiful flower-beds and well-kept lawns, and from its tower one has a very fine view of the surrounding countryside (die Umgebung). I am not surprised that so many people go there every day. Apart from its beauty this park attracts many visitors by means of (durch) its open-air swimming bath and its restaurants.

MÜNCHEN

„Meinst du, uns werden drei Tage genügen, um alles Sehenswerte zu sehen, was München zu bieten hat?" fragte Frau London ihren Gatten. Sie sassen in ihrem Hotel in der bayrischen Hauptstadt und unterhielten sich über alles, was sie im Laufe ihres ersten Tages in München gesehen und erlebt hatten. Des Morgens hatten sie einen Rundgang durch die Stadt gemacht, um sich ein wenig zu orientieren. Des Nachmittags hatte sich Herr London an ein Versprechen erinnert, das er seinem Freund Herrn Deutsch in London gegeben hatte. Dieser hatte ihm nämlich geraten, das berühmte Deutsche Museum zu besuchen. Der Besuch hatte auch den ganzen Nachmittag in Anspruch genommen, und doch hatte Familie London nicht die Hälfte von den Meisterwerken der Naturwissenschaft und Technik gesehen, die dieses riesige Museum innerhalb seiner Mauern zur Schau stellt. Wie gross war zum Beispiel ihre Verwunderung, als sie ein ganzes Kohlenbergwerk vorfanden.

An all das dachte Herr London, ehe er die Frage seiner Gattin beantwortete. „Nein, in drei Tagen können wir unmöglich alles sehen," antwortete er schliesslich. „Für das Deutsche Museum allein brauchen wir drei Tage, wenn wir alles sehen sollen, von den übrigen Museen und Gemälde-galerien ganz zu schweigen."

„Aber wir wollen doch nicht unsere ganze Zeit in Museen und Galerien verbringen?" sagte Frau London. „Nein, das auf keinen Fall," antwortete ihr Mann. „München und Umgebung haben auch sonst viel Schönes zu bieten. Ich schlage vor, wir fahren morgen nach Nymphenburg, um die berühmte Porzellanmanufaktur zu besichtigen." „Ja, ich bin auch sehr dafür," antwortete Frau London. „Aber was sollen wir heute abend machen?" „Sollen wir ins Hofbräuhaus gehen?" fragte Herr London. Seine Frau war auch damit einverstanden, und so verlebten sie einen sehr gemütlichen Abend in diesem weltbekannten Bierhaus und Restaurant.

Hier lernt man die lebenslustigen Bayern kennen, wie sie wirklich sind. Man sitzt bei Masskrug, Radi[1] und Weisswürstln[2] und singt all die bekannten Schlager kräftig mit, die eine typische bayrische Blaskapelle unermüdlich den ganzen Abend spielt. Das ist zwar nichts für empfindliche Ohren. Ein wenig Lärm muss man schon vertragen können. Familie London sah erstaunt zu, wie die Gäste, als die Fröhlichkeit ihren Gipfel erreichte, sogar auf die Tische stiegen und etwas unsicher schwankend nach Herzenslust sangen und schunkelten. Immer wieder kletterten besonders kecke Typen auf das Podium, um das Amt des Kapellmeisters zu übernehmen und das Orchester zu dirigieren. Bevor der Abend zu Ende war, konnten Herr und Frau London den bekannten Schlager *In München steht ein Hofbräuhaus* auswendig:

In München steht ein Hofbräuhaus,
Eins, zwei, gsuffa!
Da läuft so manches Fässchen* aus,
Eins, zwei, gsuffa!
Da hat schon mancher brave Mann,
Eins, zwei, gsuffa!
Gezeigt, was er vertragen kann,
Schon früh am Morgen
Fing er an,
Und spät am Abend
Hört' er auf
In München im Hofbräuhaus.

* *das Fässchen,* small cask

Am nächsten Morgen stand Familie London um elf Uhr in einem grossen Gedränge vor dem Rathaus und bewunderte den berühmten Schäfflertanz[3] am Rathausturm. Der eigentliche Schäfflertanz findet zwar nur alle sieben Jahre statt. Die Figuren am Rathausturm sind nur eine mechanische wenn auch künstlerisch sehr eindrucksvolle Nachahmung dieser schönen alten Tradition.

Des Nachmittags fuhren sie nun, wie verabredet, nach Nymphenburg. Herrlich fanden sie die Schlösser und die Anlagen in dieser reizenden kleinen Residenzstadt. Entzückend aber sehr teuer waren all die Sachen, die in den Verkaufsräumen der Porzellanmanufaktur auslagen. „Ein

[1] *Radieschen*, radishes   [2] *Weisswürstchen*
[3] *Schäffler* (Bavarian for *Böttcher*), cooper

kleines Andenken müssen wir doch mitnehmen," sagte Frau London, „so teuer hier alles auch ist." Herr London wollte zuerst einen Aschenbecher kaufen, aber schliesslich wählte er doch etwas Anderes. Den Grund hat er später seinem guten Freund Deutsch erklärt. „Ich habe mir zuerst gedacht, ein Aschenbecher wird bestimmt ein schönes Andenken sein," sagte er, „aber schliesslich habe ich es mir anders überlegt. Meine Frau hat auch zu mir gesagt: ‚Du wirst ein so teueres Stück nie als Aschenbecher gebrauchen wollen.'" Endlich kauften sie ein kleines Glücksschwein und mussten sich, seufzend, als sie an all die anderen hübschen aber kostspieligen Sachen dachten, damit begnügen.

Nicht die geringste ihrer schönen Erinnerungen an München und Umgebung war ein Ausflug an den Starnberger See. Nach einer Bahnfahrt von einer knappen halben Stunde erreichten sie diesen schönen See, der zum Baden und Kahnfahren lockt. Ein wunderbares Gefühl war es, sich nach der anstrengenden Hitze der Grosstadt am Rande des Wassers hinstrecken zu können und die kühle frische Luft einzuatmen.

Leider war die schöne Zeit in München viel zu schnell vorbei. Am Morgen ihrer Abreise schaute Familie London zum letzten Mal auf die beiden Türme der Frauenkirche zurück, die das Stadtbild überragen, und nahm sich vor, wie alle anderen Fremden, die einmal in München waren, eines Tages zurückzukehren.

VOKABELN

der **Rundgang** (¨e), tour, walk round

das **Museum** (-een), museum

das **Meisterwerk** (-e), masterpiece

die **Technik**, technology

das **Kohlenbergwerk** (-e), coal-mine

die **Umgebung**, surroundings

die **Blaskapelle** (-n), band, brass band

der **Gipfel** (-), peak

der **Kapellmeister** (-), conductor

die **Figur** (-en), figure

das **Versprechen** (-), promise

die **Hälfte** (-n), half

die **Naturwissenschaft**, science

die **Verwunderung**, surprise

die **Gemäldegalerie** (-n), art gallery

der **Masskrug** (¨e), litre pot

das **Ohr** (-en), ear

das **Amt** (¨er), office

das **Gedränge** (-), crowd, throng

die **Nachahmung** (-en), imitation

der **Raum** (¨e), room
die **Manufaktur** (-en), factory
der **Aschenbecher** (-), ashtray
der **Ausflug** (¨e), trip, excursion
das **Baden,** bathing
der **See** (**Seen**), lake

das **Porzellan** (-e), china
das **Andenken** (-), souvenir
die **Erinnerung** (-en), memory
das **Kahnfahren,** boating
der **Rand** (¨er), edge
das **Stadtbild** (-er), view, panorama of the town

riesig, gigantic
lebenslustig, happy-go-lucky
unermüdlich, indefatigable
erstaunt, astonished
auswendig, by heart
eindrucksvoll, impressive

hübsch, pretty
kostspielig, expensive

einverstanden, in agreement
kräftig, strong, powerful
empfindlich, sensitive
keck, bold
künstlerisch, artistic
entzückend, delightful, charming
reizend, charming
knapp, bare, mere

Schwache Verben

genügen, to suffice
sich orientieren, to find one's
bearings

beantworten (*trans.*), to answer

schwanken, to wobble, to reel

schunkeln, to sway rhythmic-
ally
***klettern,** to climb
dirigieren, to conduct
zuschauen (*sep.*), to watch
verabreden, to arrange
berichten, to report
gebrauchen, to use
seufzen, to sigh
sich begnügen, to content oneself
sich hinstrecken (*sep.*), to
stretch out
einatmen (*sep.*), to breathe in,
to inhale

Starke Verben

raten, to advise
schweigen, to keep silent

vertragen, to endure, to bear
übernehmen (*insep.*), to take
over
ausliegen (*sep.*), to be displayed
sich vornehmen (*sep.*), to resolve
stattfinden (*sep.*), to take place

* conjugated with **sein**

Es hat den ganzen Nach-mittag in Anspruch genommen.	It took up the whole after-noon.
Er stellt diese Meister-werke zur Schau.	He exhibits these master-pieces.
Wir können unmöglich alles sehen.	We can't possibly see every-thing.
von den übrigen Museen ganz zu schweigen	to say nothing of the other museums
das auf keinen Fall	by no means
Ich bin sehr dafür.	I am very much in favour of it.
alle sieben Jahre	every seven years
Ich habe es mir anders überlegt.	I changed my mind.
nicht die geringste ihrer schönen Erinnerungen	not the least of their happy memories

GRAMMATIK

Verbs governing the Dative Case

1. Verbs of telling, relating, etc. govern the remote object, *i.e.*, the indirect object, in the dative case.   Common verbs of this type are **sagen, erzählen, mitteilen** (*to inform*), **versprechen** and **antworten.**

N.B.—The verb **antworten** may never be used transitively. Where in English the direct object is a person, **antworten** is used with the dative of the person.

e.g. **Er antwortete** *mir*

Where the English direct object is impersonal, *e.g.*, a question, a letter, the verb **beantworten** is used in German.

e.g. **Er hat meine Frage nicht beantwortet**

2. There are a number of verbs which govern a direct object in English but an *indirect* object in German, even though the sense does not to the English mind suggest an indirect object.

Important verbs of this type are:

begegnen (*to meet*), **danken** (*to thank*), **helfen** (*to help*), **drohen** (*to threaten*), **erlauben** (*to allow*), **befehlen** (*to command*), **folgen** (*to follow*), **gefallen** (*to please*), **gehorchen** (*to obey*), **gleichen** (*to resemble*), **glauben** (*to believe*), **genügen** (*to suffice*), **verbieten** (*to forbid*), **vergeben** and **verzeihen** (*to forgive*),* **widersprechen** (*to contradict*), **passen** (*to suit*) and **raten** (*to advise*).

N.B.—**begegnen** and **folgen** are conjugated with **sein.**

3. Certain verbs used reflexively also govern the dative case.

Common examples are **sich vorstellen, sich einbilden, sich denken** (all meaning *to imagine*, though in varying senses).

Das kann ich mir gar nicht vorstellen. I can't imagine it.

Ich dachte mir, er wollte nicht kommen. I imagined he didn't want to come.

Er bildet sich ein, ich habe auch so viel Geld wie er. He imagines (thinks mistakenly) I have as much money as he.

N.B.—The dative forms of the reflexive pronoun differ from the corresponding accusative forms only in the first and second person (familiar) singular, **mich** becoming **mir,** and **dich** becoming **dir.**

e.g. **Was denkst du dir? Ich denke mir überhaupt nichts.**

4. Note also that in such constructions as **sich das Haar bürsten** and **sich die Hände waschen** the reflexive pronoun is dative.

e.g. **Ich muss *mir* schnell noch die Hände waschen. Warum hast du *dir* das Haar nicht gebürstet?**

AUFGABEN

1. Beantworten Sie folgende Fragen:

(1) Was hat Familie London am ersten Tag in München getan?

(2) Worüber unterhielten sie sich des Abends in ihrem Hotel?

* Note that **entschuldigen** (*to excuse*) governs the accusative

(3) Wo haben sie den Nachmittag des ersten Tages verbracht?
(4) Was kann man im Deutschen Museum sehen? (5) Was ist
das Münchener Hofbräuhaus? (6) Warum kletterten Gäste hin
und wieder auf das Podium? (7) Was ist jeden Morgen um elf
Uhr am Rathausturm in München zu sehen? (8) Wie oft
findet der wirkliche Schäfflertanz statt? (9) Was wollte Familie
London in Nymphenburg sehen? (10) Was haben sie dort als
Andenken gekauft? (11) Wie lange fährt man mit dem Zug
von München bis zum Starnberger See? (12) Was war für
Familie London ein wunderbares Gefühl? (13) Welche Türme
überragen das Stadtbild von München? (14) Was nahm sich
Familie London bei der Abreise vor?

2. Ergänzen Sie:

(1) Was haben Sie Ih— Freunde— über d— Porzellanmanufaktur erzählt? (2) Dies— unermüdlich— Kapellmeister sind
wir gestern auf d— Strasse begegnet. (3) Herr London erlaubt
sei— beid— Kind—, ei— klein— Andenken zu kaufen. (4)
Jung— Leute dürfen alt— Leut— nie widersprechen. (5)
Dieser Gast darf nicht in d— Restaurant bleiben, weil die Musik
sei— empfindlich— Gattin nicht gefällt. (6) Weil die Zeit
mei— Bruder nicht passt, kann er Ih— Vorschlag leider nicht
annehmen. (7) Er hat sei— Sohn verboten, jed— Abend ins
Kino zu gehen. (8) Wollen dies— lustig— Gäst— d— Kapellmeister helfen, oder warum klettern sie auf d— Podium? (9)
Gut— Kind— gehorchen immer ih— Lehrer—. (10) Der
Schaffner hat dies— Herrn mitgeteilt, dass der Zug schon Ver-
spätung hat.

3. Geben Sie die richtige Form des Verbs:

(1) Ich sehe, dass du (sich waschen — *Perfekt*) die Hände und das
Gesicht. (2) Ich (sich vorstellen — *Plusquamperfekt*) die Stadt
München ganz anders. (3) Das (sich einbilden — *Präsens*)
Ihre Freundin nur. (4) Wie (sich vorstellen — *Präsens*) du
das? (5) Ich (folgen — *Perfekt*) ihm den ganzen Weg nach
Hause. (6) Er (sich orientieren — *Perfekt*) noch nicht. (7)
Wann (stattfinden — *Imperfekt*) das letzte Konzert? (8) Er
(schweigen — *Perfekt*) so lange, weil er auch meine Arbeit
(übernehmen — *Perfekt*). (9) Er (zuschauen — *Imperfekt*) mindestens eine halbe Stunde, und dann (vorschlagen — *Imperfekt*)
er etwas Neues. (10) Das (vertragen — *Präsens*) du nicht, weil
du es nicht kennst. (11) In dem Schaufenster (ausliegen —
Imperfekt) viele schöne Sachen. (12) (Beantworten — *Perfekt*)
er deinen Brief noch nicht?

4. Übersetzen Sie:

(1) You can imagine how glad I am. (2) I have to brush my hair before I go out. (3) You can't possibly help me. (4) Every three years we go to Germany. (5) I have no time to read the newspaper, to say nothing of all these books. (6) Have you changed your mind again? (7) Are you also in favour of it? (8) I resolved to visit Munich again one day. (9) You must content yourself with a small souvenir. (10) You will have to get your bearings first.

5. Setzen Sie in den Plural:

(1) Das kann ich mir nicht vorstellen. (2) Mir genügt das Versprechen, das Ihr Bruder mir gegeben hat. (3) Ein Museum ist genau so interessant wie eine Gemäldegalerie. (4) Welches Meisterwerk hat dieser Fremde so sehr bewundert? (5) In diesem hübschen kleinen See bade ich sehr gern. (6) Manche schöne Erinnerung wirst du mit nach Hause nehmen. (7) Diese entzückende Nachahmung gefällt mir sehr gut. (8) Ich habe auch einen sehr netten Ausflug gemacht. (9) Vom Gipfel dieses Berges hast du einen schönen Blick in das Tal. (10) Was hast du dir vorgenommen?

6. Übersetzen Sie:

(1) Why don't you answer my question? (2) I can't bear so much noise. (3) Who was conducting the orchestra yesterday evening? (4) I have already arranged that with him. (5) At first he remained silent, and then he advised me to use this book. (6) He does not speak good English; he only imagines he does (it). (7) Are we to stay here all evening? No, not by any means. (8) Not the least of my pleasant recollections was an afternoon in the art gallery. (9) How great was my surprise when I found him there. (Use 'vorfinden'). (10) You haven't seen half of the interesting things in this museum.

7. Übersetzen Sie:

When I think of the wonderful days I spent last year in Munich I want to tell all my friends about them, but I don't know where to begin (am to begin). Shall I write about the interesting museums and the delightful art galleries? No, because everyone can read about them in books and I cannot describe them half so well. Many people like to hear of the beautiful porcelain factory at Nymphenburg, but one must see these things oneself.

I always like to tell of the jolly evening I spent in the Hofbräu-haus, where one gets to know the Bavarians as they really are.

I shall never forget the many popular songs that I heard there, and I have to laugh sometimes when I think of those guests who climbed on to the platform to conduct the band. When the merriment reached its peak some guests even climbed on to the tables to sway to and fro (use 'schunkeln') and to sing.

There are many things in Munich which I must one day see again. I shall be very happy when I look once more upon the two towers of the Frauenkirche, which one sees on almost every picture of Munich.

WIEDERHOLUNG

1. Schreiben Sie einen kurzen Aufsatz über:

(*a*) Ein Brief aus Heidelberg.
(*b*) Stuttgart und München — ein Vergleich.

2. Geben Sie die richtige Form des Verbs:

(1) Bald (sich herausstellen — *Imperfekt*) es, dass es ihm nicht (gelingen — *Plusquamperfekt*). (2) Ich (wissen — *Perfekt*) nicht, dass er die Stadt schon (verlassen — *Plusquamperfekt*). (3) Als wir am nächsten Morgen (aufstehen — *Imperfekt*), (brennen — *Imperfekt*) das Feuer noch immer. (4) Mir (vorkommen — *Perfekt*) sein Vorschlag ziemlich komisch. (5) Damals (ziehen — *Imperfekt*) Pferde an manchen Stellen die Schiffe. (6) Mein Sohn (entgegensehen — *Präsens*) seinen Sommerferien freudig. (7) Über das Geräusch, das uns dort (empfangen — *Perfekt*), (erschrecken — *Perfekt*) wir beinahe. (8) So viel Interessantes (aufnehmen — *Präsens*) du an einem einzigen Tag bestimmt nicht in dich. (9) Warum (schweigen — *Perfekt*) er eigentlich so lange? (10) Abends (stattfinden — *Imperfekt*) immer nur eine Vorstellung.

3. Ergänzen Sie:

(1) Erinnern Sie sich — unse— erst— Abend — Hofbräuhaus? (2) Hoffentlich kommst du — heil— Haut über d— Strasse! (3) Das Museum stellt manches Interessant— — Schau. (4) Ich stelle mich Ih— Freund gerne — Verfügung. (5) In weit— Ferne sieht man d— grün— Berg— des Rheintals. (6) Mich lockt dies— hübsch— Städtchen — länger— Verweilen. (7) München kann sich viel— interessant— Museen und viel— schön— Gemäldegalerien rühmen. (8) Unter ander— erzählte er sei— Gäst— von d— schön— Landschaft. (9) Sind Sie auch d— Meinung, dass es d— Dichter gelungen ist, d— Schönheit d— Ort— — Ausdruck zu bringen? (10) — 10. September kehrte er von sei— Urlaub zurück.

4. Übersetzen Sie:

(1) Does the scenery seem monotonous to you? (2) You will probably be very surprised. (3) You must remind him of his

promise. (4) He was annoyed when he saw that it was raining
again. (5) Although I am very sorry I am not at all surprised.
(6) When he stands on the top of a high mountain he is always
dizzy. (7) Hasn't he answered you yet? (8) I ordered them
to return because they had failed. (9) I believe you but I cannot excuse you. (10) You must not allow her to spend the whole
day there.

5. Setzen Sie in den Singular:

(1) Die neuen Schlager, die wir gestern abend gesungen haben,
können wir schon auswendig. (2) Uns friert, weil die Nächte
so kalt sind. (3) Unsere einmaligen Erlebnisse in diesen Tälern
werden wir nie vergessen. (4) Nach dem Essen begeben sich
die Gäste in das Wohnzimmer, um dort ihre Zigarren zu rauchen.
(5) Habt ihr diese hübschen Andenken von euren Reisen
mit zurückgebracht? (6) Ihr bildet euch wahrscheinlich ein,
ihr könnt es genau so gut machen. (7) Dürfen wir uns hier die
Hände waschen? (8) Es sind keine Bücher auf diesen Tischen.
(9) Diese Kumpel arbeiteten früher in den Kohlenbergwerken in
unserer Gegend. (10) Unsere Freunde raten uns, jede Woche
Ausflüge zu machen.

6. Übersetzen Sie:

(1) Was it raining when you went out, or was it snowing? (2)
Since it is so cold it will probably freeze during the night. (3)
Where were you on the 8th of June, 1954? (4) There are
people who are not in agreement with it. (5) Next morning
(on the next morning) a start was made. (6) I am sorry for him
but I cannot help him. (7) I am sorry but we cannot possibly
promise him that. (8) The museum impressed all the visitors
greatly. (9) I am waiting until they answer my letter. (10)
Our first visit was to the Town Hall. (11) I am surprised that
you don't remember it. (12) Quite apart from the good wine, I
like to go there because of the entertainment. (13) He pays
me a visit every three weeks. (14) At first he was in favour of it,
but he has changed his mind. (15) We have never been able to
forgive him.

LEKTION NEUN

REISEEINDRÜCKE

München, den 14. August 1954.

Lieber Herr Deutsch!

Sie werden sich wundern, dass ich nicht schon früher geschrieben habe, aber es hat mir bisher wirklich an Zeit und Gelegenheit gefehlt. Ausserdem habe ich meine Reiseeindrücke so lange gesammelt, bis ich in der Lage war, Ihnen einen einigermassen zulänglichen Bericht zu erstatten.

Wo soll ich nun anfangen? Landschaftlich entspricht Deutschland unseren höchsten Erwartungen. Es ist sogar noch schöner, als wir erwartet haben, denn von den Wirkungen des Krieges sieht man heute nur noch sehr wenig. Das brauche ich Ihnen aber alles nicht zu erzählen, da Sie selber auch vor kurzer Zeit in Deutschland waren.

Es wird Sie aber wahrscheinlich interessieren zu hören, was wir auch im allgemeinen von dem Land und den Leuten halten. Lassen Sie mich Ihnen von vorn herein versichern, dass man uns überall auf die freundlichste Art und Weise empfangen hat. Offenbar sieht man gern Ausländer in der Bundesrepublik. Überall waren die Leute auch gern bereit, Meinungen zu hören und auszutauschen.

Auf den Wiederaufbau in Westdeutschland nach dem Zusammenbruch und der Zerstörung des zweiten Weltkrieges sind viele Deutsche sehr stolz. Man spricht allgemein von dem Wunder der Bundesrepublik und meint damit ein wirtschaftliches Wunder. Dabei sehen die meisten Leute ein, dass sie ausländischer Hilfe viel zu verdanken haben. Andererseits muss ich sagen, dass die Bürger der Bundesrepublik wirklich fleissig arbeiten. Sie fangen gewöhnlich viel früher an, als wir in England es gewohnt sind, und hören auch in manchen Fällen abends viel später auf. Viele Leute, vor allen Dingen Handwerker, arbeiten häufig Überstunden. Dadurch verdienen sie das Geld, welches sie brauchen, um sich kleine Luxusartikel leisten zu können. In Deutschland ist es in der Beziehung nicht viel anders als bei uns auch. Die meisten Leute haben zu wenig Geld, und alles ist sehr teuer. Was man aber in Deutschland für sein Geld bekommt, ist meiner Meinung nach immer preiswert.

An Lebensmitteln hat man eine sehr grosse Auswahl; eine grössere Auswahl als wir in England haben, kann ich wohl sagen. Auf dem Gebiete des Hotel- und Restaurantlebens merkt man einen ganz grossen Unterschied gegen die Verhältnisse in England. In jeder deutschen Stadt findet man so viele Gaststätten, dass der deutsche Gastwirt seinen Gästen wirklich etwas Gutes bieten muss, um neben seinen Konkurrenten bestehen zu können. Allzuteuer ist das Essen auch nicht, mit englischen Preisen verglichen, wenn man in einem gutbürgerlichen Restaurant isst. In den Cafés hat man eine Auswahl an leckeren Kuchen, wie man sie drüben gar nicht kennt. Übrigens verstehe ich jetzt, warum Sie sich immer beklagt haben, dass in den englischen Cafés die Kuchen von Tisch zu Tisch wandern, wie Sie sich einmal geäussert haben. In Deutschland kommt nur das auf den Tisch, was man selber verzehren will. An der Theke stehen die Kuchen auch fast immer unter Glas. Das finden wir viel schöner. Leider ist der Kaffee noch immer sehr teuer. Immerhin ist es in Deutschland noch immer ein verhältnismässig billiges Vergnügen, in einem sehr netten Café bei einer Tasse Kaffee zu sitzen und Musik zu hören. Das ist etwas, was die meisten Deutschen, die nach England kommen, sehr vermissen. Das wissen Sie ja aus eigener Erfahrung.

Interessant ist es immer, die Preise in den Läden mit den Preisen für die entsprechenden Waren in England zu vergleichen. So stelle ich zum Beispiel fest, dass Lederwaren im allgemeinen billiger sind als bei uns, obwohl Schuhe eigentlich teurer sind. Man kann aber die schönsten Aktentaschen und Koffer zu sehr günstigen Preisen kaufen. Dagegen sind Textilwaren teuer und nicht so gut wie bei uns. Die Qualität von englischen Stoffen ist allerdings weltberühmt. Ob man im allgemeinen in England oder in Deutschland mit seinem Geld besser auskommt, können Sie am besten selber beurteilen, da Sie längere Zeit in beiden Ländern gewohnt haben.

Wir haben auch die amüsantesten Dinge erlebt. Ungewöhnliche Typen trifft man zwar in jedem Lande, aber wenn man ins Ausland reist und dadurch viel herumkommt, hat man eben mehr Gelegenheit, die verschiedenartigsten Menschen kennen zu lernen. So standen wir gestern abend an einer Strassenecke in München, und da es gerade anfing zu regnen, hatte meine Frau ihren Regenschirm aufgeklappt. Da kam ein kleiner komischer Kauz vorbei, wollte uns auf den Arm nehmen, weil er uns auf den ersten Blick als Ausländer erkannte, und fragte: ,,Entschuldigen Sie, darf ich fragen, ob es hier regnet?" ,,Wenden Sie sich an einen Schupo!" habe ich geantwortet. ,,Ich bin nämlich auch vom Dorf."

Ja, wir werden noch viel zu erzählen haben, wenn wir wieder nach Hause kommen. Es hat uns überall sehr gut gefallen, aber das Urteil meiner Frau wird Sie vielleicht interessieren. Heute hat sie gesagt: ,,Weisst du was? Ich glaube, so schön es bisher überall war, in München ist es am schönsten." Nun, wir wollen abwarten, denn wir haben noch viel zu sehen. In zehn Tagen werden wir aber die Heimreise wieder antreten müssen. Bis dahin alles Gute!

Vielen herzlichen Dank noch mal für alle Hilfe, die Sie uns bei unseren Reisevorbereitungen geleistet haben, und recht herzliche Grüsse von uns allen, besonders aber von

Ihrem Freund

JOHN LONDON

VOKABELN

die **Gelegenheit** (**-en**), opportunity

der **Bericht** (**-e**), report

der **Wiederaufbau,** reconstruction

die **Zerstörung** (**-en**), destruction

der **Handwerker** (**-**), tradesman, artisan

der **Luxusartikel** (**-**), luxury

das **Verhältnis** (**-nisse**), condition, relation

die **Lederwaren** (*Plural*), leather goods

die **Textilwaren** (*Plural*), textiles

die **Lage** (**-n**), position, situation

die **Wirkung** (**-en**), effect

der **Zusammenbruch** (**¨e**), collapse

das **Wunder** (**-**), miracle, wonder

die **Überstunden** (*Plural*), overtime

der **Unterschied** (**-e**), difference

der **Konkurrent** (**-en, -en**), rival, competitor

die **Aktentasche** (**-n**), brief case

der **Stoff** (**-e**), material

D.S.D.—E

der **Regenschirm** (**-e**), umbrella

der **Schupo** (**-s**), policeman (abbreviation of **Schutzpolizist**)

der **Kauz** (**¨e**), comical fellow (*colloquial*)

bisher, hitherto
zulänglich, adequate
wirtschaftlich, economic
gewohnt, accustomed
gutbürgerlich, middle-class
günstig, favourable
verschiedenartig, diverse

als, than
einigermassen, to some extent
bereit, ready
ausländisch, foreign
meist, most
lecker, delicious
amüsant, amusing

Schwache Verben

erstatten, to make (a report)

versichern, to assure
austauschen (*sep.*), to exchange
aufhören (*sep.*), to cease

sich (*dat.*) **leisten,** to afford

sich beklagen, to complain
sich äussern, to express oneself
verzehren, to consume
beurteilen, to judge (*trans.*)
aufklappen (*sep.*), to unfold

Starke Verben

einsehen (*sep.*), to see, to realize
bestehen, to exist
vergleichen, to compare
*auskommen (*sep.*), to manage (on)
antreten (*sep.*), to start on (journey)

ZUM LERNEN

Ich bin in der Lage, einen Bericht zu erstatten.	I am in a position to make a report.
Was halten Sie davon?	What do you think of it?
von vorn herein	from the outset
Wir sind es gewohnt.	We are accustomed to it.
meiner Meinung nach	in my opinion
gegen die Verhältnisse in England	compared with conditions in England
aus eigener Erfahrung	from my (your, his etc.) own experience
Er wollte uns auf den Arm nehmen.	He wanted to make fun of us.
auf den ersten Blick	at first glance

* conjugated with **sein**

Er ist vom Dorf.	He is from the country.
so schön es bisher war	beautiful though it has been hitherto
bis dahin	until then

GRAMMATIK

Comparison of Adjectives and Adverbs

(a) Adjectives

1. The comparative and superlative of adjectives are formed, as in English, by the addition of **er** and (**e**)**st** to the positive:

schön	**schöner**	**der (die, das) schönste**
klein	**kleiner**	**der (die, das) kleinste**

N.B.—Adjectives ending in a vowel or **d, t, sch** (not **isch**), **ss, st** or **z** add **est** to form the superlative:

neu	**der (die, das) neueste**
stolz	**der (die, das) stolzeste**

2. Most adjectives of one syllable modify the root vowel **a, o, u,** but not **au.**

Notable exceptions are **klar, sanft, voll, rasch, stolz, rund.**

3. *Irregular Comparisons*

gross	**grösser**	**der (die, das) grösste**
gut	**besser**	**der (die, das) beste**
hoch	**höher**	**der (die, das) höchste**
nah	**näher**	**der (die, das) nächste**

4. When used attributively, comparative and superlative must be declined like the positive:

Ich kenne keinen grösseren Dichter.
Er sieht von dem höchsten Gipfel herunter.

5. When the superlative is used predicatively the normal form (**der, die, das grösste,** etc.) is used only if the objects compared bear the same name:

Diese Berge sind die höchsten, die ich je gesehen habe.
Dieses Haus ist das höchste in der ganzen Stadt.

Here one is comparing the mountains with other mountains and the house with other houses.

If, however, the objects compared are referred to by different names (even though they may belong to the same general class of objects), the special form **am höchsten, am grössten,** etc. must be used:

Die Lilie ist schön, das Veilchen ist noch schöner, aber die Rose ist am schönsten.

The same rule applies when the comparison refers to different conditions of the same object:

In der Nähe von der Brücke ist der Fluss am tiefsten. Im Frühling ist die Landschaft am schönsten.

(b) *Adverbs*

1. Most adjectives may be used as adverbs in all degrees of comparison. The superlative is, however, always rendered by the form **am -sten**:

Wer hat denn am schönsten gesungen? Das können Sie am besten machen.

2. The following irregular comparisons should be noted:

gut	besser	am besten
gern	lieber	am liebsten
viel	mehr	am meisten
{ oft	öfter }	
{ häufig	häufiger }	am häufigsten

N.B.—Great care should be taken with the translation or expression of such phrases as '*liking better*' or '*liking best*.' English people sometimes fall into the trap of using the comparative and superlative forms of **gut** instead of the comparative and superlative of **gern**.

Ich mag es lieber.
Ich habe ihn lieber.
Was mögen Sie am liebsten?
Ich habe es am liebsten.

AUFGABEN

1. Beantworten Sie folgende Fragen:

(1) Warum hat Herr London nicht früher an Herrn Deutsch geschrieben? (2) Was hat er während seiner Ferien in Deutschland gesammelt? (3) Wie hat man Familie London überall in

Deutschland empfangen? (4) Welche Leute sieht man gern in der Bundesrepublik? (5) Worauf ist man in Westdeutschland stolz? (6) Wodurch verdienen viele Leute das Geld, das sie brauchen, um sich kleine Luxusartikel kaufen zu können? (7) Auf welchem Gebiete des Lebens merkt man in Deutschland einen grossen Unterschied gegen die Verhältnisse in England? (8) Was muss der deutsche Gastwirt tun, um neben seinen Konkurrenten bestehen zu können? (9) Was gefällt Herrn Deutsch in den englischen Cafés nicht? (10) Was vermissen die meisten Deutschen, die nach England kommen? (11) Was ist in Deutschland billiger als in England? (12) Was ist in England billiger als in Deutschland? (13) Für welche Waren ist England weltberühmt? (14) Wo hat es Frau London am besten gefallen? (15) Wofür dankt Herr London Herrn Deutsch?

2. Schreiben Sie folgende Sätze zu Ende:

Beispiel (a) Ihr Haus ist sehr schön, aber . . .
       Ihr Haus ist sehr schön, aber ich habe ein viel schöneres Haus.

(1) Ihre Wohnung ist sehr gross, aber . . . (2) Seine Schwester ist sehr nett, aber . . . (3) Sie hat eine sanfte Stimme, aber . . . (4) Er hat einen musikalischen Bruder, aber . . . (5) Er hat eine gute Frau, aber . . .

Beispiel (b) Es gibt viele interessante Dinge, aber Bücher . . .
       Es gibt viele interessante Dinge, aber Bücher sind am interessantesten.

(1) Es sind viele grosse Gebäude in dieser Stadt, aber das Rathaus . . . (2) Ihr Koffer ist neu, und sein Koffer ist noch neuer, aber mein Koffer . . . (3) Ich kenne viele stolze Leute, aber von allen Leuten, die ich kenne, sind diese Herren . . . (4) Es gibt mehrere kurze Wege, aber dieser Weg . . . (5) Alle drei Tassen Kaffee sind heiss, aber meine Tasse . . .

3. Geben Sie die richtige Form des Verbs im Präsens, im Futur, im Imperfekt, im Perfekt:

(1) Das Essen (entsprechen) meinen Erwartungen nicht. (2) Das (einsehen) nicht jeder Bürger der Bundesrepublik. (3) Er (erstatten) einen sehr interessanten Bericht. (4) Wir (vergleichen) die Preise mit den Preisen in England. (5) Die Arbeit (aufhören) um sechs Uhr abends. (6) Ich verstehe nicht, warum er (sich beklagen) darüber. (7) (Auskommen) du jeden Monat

mit deinem Geld? (8) Dieser Schupo (beurteilen) die Lage
ganz falsch. (9) Die Gäste an den Tischen (austauschen) gern
Meinungen. (10) Ich glaube nicht, dass er die Reise so früh
(antreten).

4. Ergänzen Sie:

(1) Mei— Freund scheint es immer — Zeit zu fehlen. (2) In
viel— Fäll— hat man in Deutschland ei— besser— Auswahl —
Lebensmittel— als in gewiss— ander— Länd—. (3) Vor
kurz— Zeit bin ich dies— Schupo in d— nächst— Strasse begegnet. (4) Sind Sie jetzt — d— Lage, mir ei— Bericht zu
erstatten? (5) Von all— Musiker—, d— ich kenne, spielen
diese drei Leute am schönst—. (6) Mei— Meinung nach wird
er sich solch— Luxusartikel nicht leisten können. (7) Über d—
hervorragend— Qualität dies— englisch— Stoffe wundere ich
mich sehr. (8) Was halten Sie von d— wirtschaftlich— Verhältnis— in d— Bundesrepublik? (9) Mir gefallen am best—
die Lederwaren, welch— man zu solch— günstig— Preis—
kaufen kann. (10) Nach d— Zusammenbruch begann sofort
d— Wiederaufbau.

5. Übersetzen Sie:

(1) Why do you want a bigger pencil? (2) This book is the
most interesting I have ever read. (3) That is the shortest report
in the whole newspaper. (4) Heinz reads better than Wilhelm,
but Karl reads best. (5) Which of these two kinds of bread
(compound noun) do you like better? (6) Mr. London speaks (a)
much more fluent German than Mrs. London. (7) I find the
newspaper most interesting in the morning, because it contains
the latest (newest) news. (8) Beer and wine are both expensive,
but coffee is most expensive. (9) Karl has a much gentler
voice than his brother. (10) Of all the (omit 'the') Germans
I know I like him best.

6. Ergänzen Sie durch eine passende Präposition:

(1) Ich bin nicht — der Lage, es Ihnen zu erklären. (2) — dem
Gebiete des wirtschaftlichen Lebens habe ich manches Interessante erfahren. (3) Warum warten so viele Leute — der
Theke? (4) Das weiss er auch — eigener Erfahrung. (5) Er
hat versucht, Sie — den Arm zu nehmen. (6) Ich habe sie —
den ersten Blick wieder erkannt. (7) Meiner Meinung — wird
es ihm nie gelingen. (8) Das finde ich — die übrigen Preise
sehr billig. (9). Wir fanden das Essen sehr schlecht, — dem
Preis ganz zu schweigen. (10) Er hat es mir — die freundlichste
Weise erklärt.

7. Übersetzen Sie:

In the ten days that Mr and Mrs London and their two children have already spent in Germany they have had many interesting experiences. The people have received them everywhere in the most friendly fashion, and they have frequently exchanged opinions on all kinds of subjects with the people they have met. In this way they have learned much about economic conditions in the Federal Republic.

They find it interesting to compare prices with the prices of the corresponding goods in England. They manage very well on the money they have brought with them, although they can't afford to drink too many cups of coffee because coffee is so dear in Germany. Fortunately Mr London likes (say 'drinks') beer best, and the children prefer (drink rather) milk or lemonade.

Like all English people who are abroad for the first time since the war, they are surprised at the reconstruction in Western Germany. The long hours which the citizens of the Federal Republic work in many cases have impressed them greatly. They like the German cafés and restaurants (say 'The German, etc. please them') much better than the cafés and restaurants in England. Most Germans miss their café life very much when they come to England. No wonder! In this respect we still have much to learn from the Germans.

TIROL

Als Londons ihre Deutschlandreise antraten, hatten sie zunächst gar nicht vor, nach Österreich zu fahren. In München aber machten sie die Bekanntschaft von einem deutschen Herrn und seiner Frau, die gerade aus Tirol zurückkehrten und die nicht müde wurden, von der Schönheit zu erzählen, von der sie offenbar so beeindruckt worden waren. So kam es, dass Familie London auch auf einige Tage über die österreichische Grenze fuhr.

Hinter Rosenheim, einer kleinen Stadt auf der deutschen Seite der Grenze, sahen sie zum erstenmal die Berge, ganz andere, viel höhere Berge als sie sonst je gesehen hatten. In Kufstein, der ersten österreichischen Station hinter der Grenze, stiegen sie aus, um zunächst einmal diese romantische kleine Stadt zu besichtigen. Sie wurden auch nicht enttäuscht. Hier reichen die Berge dicht an die Stadt herunter, beinahe bis in die Stadt herein, schien es Familie London, als sie auf der Brücke standen, die den Inn überspannt, und auf den schäumenden Fluss hinabschauten. „Hier habe ich das Gefühl, endlich mal etwas ganz Neues gefunden zu haben," sagte Frau London zu ihrem Mann. „Da hast du ganz recht," antwortete er. „Das Gefühl habe ich auch."

Die engen hügeligen Strassen mit den Läden voller Andenken jeder Art, die kleinen Wirtshäuser, wo man billig übernachten und sowohl billig als auch gut essen konnte, die historische alte Burg, die schönen Spaziergänge, welche man rund herum machen konnte, das trug alles zu dem Reiz dieser beinahe märchenhaften Stadt bei. Ein unheimliches Gefühl war es, abends im Dunkeln am Inn entlang zu wandern, und die herrliche Orgelmusik zu hören, die auf der berühmten Heldenorgel in der Schlossburg gespielt wurde. Das war für Familie London ein geradezu einmaliges Erlebnis.

Zell-am-See, ihren nächsten Zielort, fanden sie vielleicht noch schöner aber weniger romantisch als Kufstein. Bezaubernd sah der See aus, als sie oben im Walde standen und durch eine plötzliche Lichtung in den Bäumen auf ihn hinuntersahen. Anstrengend, aber der Mühe wert, war der Aufstieg zur Schmittenhöhe. Von dem Gipfel dieses Bergs hatten sie, da das Wetter gerade klar war, einen Blick auf den Grossglockner. Man kann auch mit der Seilbahn zur Schmittenhöhe hinauffahren, aber Londons erwiesen sich als sehr tüchtige Wanderer und machten den ganzen Weg zu Fuss. Bis zur Mittelstation, wo sie ein reichliches Mittagessen genossen und sich ausruhten, brauchten sie etwa zweieinhalb Stunden. Der Wirt vom kleinen Gasthof, wo sie zu Mittag assen, war auch Bergführer und Skilehrer. „Herrlich muss es im Winter hier sein," sagte Herr London. „Wir müssen unbedingt einmal zum Wintersport hierher kommen." Von der Mittelstation stiegen sie fast drei Stunden noch bis zur Schmittenhöhe. Dort fühlten sie sich nicht nur durch den Blick sondern auch durch das Bewusstsein reichlich belohnt, etwas geleistet zu haben.

Schöne Gaststätten und Hotels fanden sie auch in Zell-am-See. Nach einem Morgen und einem Nachmittag in der frischen Luft sassen Herr und Frau London bei einem Viertel Wein und wurden von einer kleinen Musikkapelle und echten Wiener Sängern und Sängerinnen unterhalten. Halb so schön war leider das Gespräch einer Dame, die am selben Tisch sass und von der sie anderthalb Stunden lang über den berühmten Professor Kneipp und seine Naturheilkunde unterrichtet wurden. Kaltwasserbäder, Knoblauch mit Honig und derartige Heilmittel waren die Dinge, die ihr im Kopfe spukten. Alles hat aber ein Ende, und auch diese Fanatikerin erhob sich endlich und verabschiedete sich. Trotz solcher kleinen Störungen, die schliesslich nur ein Beweis für die Beliebtheit von Zell-am-See bei Leuten jeder Art sind, verlebten Londons drei wunderschöne Tage dort. „Kein Wunder," sagte Frau London, als die schöne Zeit wieder zu Ende war, „dass dieser entzückende Badeort von so vielen Touristen besucht wird! Schade, dass wir nicht drei Wochen hier bleiben können!"

VOKABELN

die **Bekanntschaft** (-en), acquaintance
die **Orgel** (-n), organ
die **Lichtung** (-en), clearing

Österreich (n.), Austria

der **Held** (-en, -en), hero
die **Mühe**, trouble, effort

der **Aufstieg** (-e), climb, ascent

die **Mittelstation,** half-way house

der **Skilehrer** (-), skiing instructor

das **Bewusstsein,** consciousness, realisation

der **Sänger** (-), vocalist

der **Knoblauch,** garlic

das **Heilmittel** (-), remedy, cure

die **Störung** (-en), disturbance

die **Beliebtheit,** popularity

die **Seilbahn** (-en), cable railway

der **Bergführer** (-), mountain guide

der **Wintersport,** winter sports

Wien (*n.*), Vienna

die **Naturheilkunde,** nature cures

der **Honig,** honey

der **Fanatiker** (-), fanatic

der **Beweis** (-e), proof

österreichisch, Austrian
eng, narrow
unheimlich, uncanny
wert, worth, worthy
tüchtig, efficient
unbedingt, definitely, at all costs

hinter, beyond
märchenhaft, fairy-like
bezaubernd, enchanting
klar, clear
reichlich, abundant
derartig, of that kind, such

Schwache Verben

übernachten (*insep.*), to spend the night
beeindrucken, to impress
enttäuschen, to disappoint
reichen, to reach

überspannen (*insep.*), to span
schäumen, to foam
leisten, to achieve

unterrichten (*insep.*), to instruct
spuken, to haunt
sich verabschieden, to say good-bye

Starke Verben

beitragen (*sep.*), to contribute
sich erweisen (**als**), to prove (*intrans.*)

geniessen, to enjoy
unterhalten (*insep.*), to entertain
sich erheben, to rise

ZUM LERNEN

Er wurde nicht müde, die Geschichte zu erzählen.
He was never tired of telling the story.

Ich habe das Gefühl, etwas Neues gefunden zu haben.
I feel I have found something new.

sowohl billig als auch gut	both cheap and good
Das trägt zum Reiz der Stadt bei.	That contributes to the town's charm.
Es ist nicht der Mühe wert.	It isn't worth the trouble.
Er erwies sich als ein tüchtiger Wanderer.	He proved a good walker.
ein Viertel Wein	a quarter of a litre of wine
Es war halb so schön.	It was by no means so nice.
Diese Dinge spukten ihr im Kopf.	She was haunted by such ideas as these.

GRAMMATIK

The Passive Voice

The German passive voice is formed by means of the verb **werden** and a past participle.

Note the various tenses:

Present
ich werde gefragt.   I am asked.

Imperfect
ich wurde gefragt.   I was asked.

Perfect
ich bin gefragt worden.   I have been asked

Pluperfect
ich war gefragt worden.   I had been asked.

Future
ich werde gefragt werden.   I shall be asked.

Future Perfect

ich werde gefragt worden sein.   I shall have been asked.

When rendering the English passive into German great care should be taken to use the tense of **werden** corresponding to the tense in which the English verb '*to be*' is used.

N.B.—The participial form **worden** is conjugated with **sein**.

In some sentences no agent is specified, especially in rendering into the passive active forms where the subject is **man**.

> *Active*: **Man hat uns schon gesehen.**
> *Passive*: **Wir sind schon gesehen worden.**

In sentences where the agent, *i.e.*, the person by whom the action is done, is specified, the preposition *by* is expressed by **von** (never **bei**).

Active: **Mein Vater hat mich gefragt.**

Passive: **Ich bin von meinem Vater gefragt worden.**

AUFGABEN

1. Beantworten Sie folgende Fragen:

(1) Wie kam es, dass Londons auf einige Tage nach Tirol fuhren? (2) Wo liegt Rosenheim? (3) Wo sah Familie London zum erstenmal die Berge? (4) Welche kleine österreichische Stadt wollten sie zuerst besichtigen? (5) Wie heisst der Fluss, der durch Kufstein fliesst? (6) Was für ein Gefühl hatten Herr und Frau London, als sie auf der Brücke standen? (7) Was fanden Londons in Kufstein so schön? (8) Was hörten sie abends aus der Schlossburg? (9) Wie hiess ihr nächster Zielort? (10) Was kann man von der Schmittenhöhe sehen? (11) Wie muss das Wetter sein? (12) Wie kommt man auf die Schmittenhöhe? (13) Wo assen Londons auf dieser Wanderung zu Mittag? (14) Was war der Wirt vom Gasthof, wo sie zu Mittag assen? (15) Was machten Herr und Frau London abends? (16) Was für eine Dame sass mit ihnen am selben Tisch? (17) Wer war Professor Kneipp? (18) Warum wird Zell-am-See von so vielen Touristen besucht?

2. Setzen Sie ins Passiv:

(1) Man besucht diesen Badeort sehr häufig. (2) Man hat mich mehr als einmal enttäuscht. (3) Man hatte schon sehr viel geleistet. (4) Man wird diesen leckeren Kuchen essen. (5) Man trank den kühlen Wein aus schönen Gläsern. (6) Ich habe ihn noch nicht darüber unterrichtet. (7) Viele Touristen werden die schöne Orgelmusik gehört haben. (8) Solche Spaziergänge hat dieser Herr noch nie gemacht. (9) Die Reisenden besichtigten die romantische Kleinstadt. (10) Der wunderschöne Blick wird uns reichlich belohnen.

3. Setzen Sie in den Plural:

(1) Welcher Wiener Sänger hat dieses Lied immer gesungen? (2) Auf dieser grossen Orgel spielt ein ganz hervorragender Musiker. (3) Es gibt keinen Beweis für die Wirkung dieses Heilmittels. (4) Er wurde von einem bekannten Skilehrer unterrichtet. (5) In dieser engen Strasse ist ein kleines billiges Wirtshaus. (6) Der Unterschied zwischen seinem Gefühl und

Ihrem Gefühl entspricht vollkommen meiner Erwartung. (7) Der alte Bergführer erwies sich als ein sehr tüchtiger Wanderer. (8) Bei einem gewissen Konkurrenten von mir ist der Preis dieses Artikels gestiegen. (9) Dieser romantische kleine Ort hat einen grösseren Markt als jener grosse Ort. (10) Über sein komisches Erlebnis hat sich der Fremde gewundert.

4. Übersetzen Sie:

(1) We were received in the most friendly fashion by the landlord of the little inn. (2) What time will the door be closed this evening? (3) Do you know what has been suggested already? (4) My new suit must be cleaned before I leave. (5) His arrival had not been reported. (6) When will the door of the dining-room be opened? (7) Such a mistake must never be repeated. (8) London is visited by many foreigners. (9) We were entertained by a small orchestra. (10) That has often been said, but you mustn't believe it.

5. Wiederholen Sie im Imperfekt, im Perfekt, im Futur:

(1) Bei uns wird das oft getan. (2) Dieser Wein wird nicht sehr häufig getrunken. (3) Solche Lieder werden nicht mehr gesungen. (4) Es kann nicht mehr gefunden werden. (5) Ich werde jeden Morgen um diese Zeit angerufen.

6. Wiederholen Sie im Plusquamperfekt und im vollendeten Futur (Future Perfect):

(1) Hier wird viel Fleisch gegessen. (2) Dieses Buch wird von vielen Leuten gelesen. (3) Die Geschichte wird von mir nicht erzählt. (4) Die Schönheit dieses Orts wird von vielen Dichtern besungen. (5) Manche Leute werden gewissermassen enttäuscht.

7. Übersetzen Sie:

(1) As it is no longer worth the trouble we are not trying to help him. (2) He never tires of visiting us. (3) He has not contributed anything to our entertainment. (4) The news proved true. (5) You cannot drink both coffee and tea with your cake. (6) To-morrow we start out on our long journey. (7) In Austria we shall see the mountains for the first time. (8) The mountains seem to reach almost into the town. (9) He rose from the table and said good-bye. (10) We spent the night in a small inn on the outskirts of the town.

8. Übersetzen Sie:

When I started out on my long journey to Germany I had no intention of going across the frontier into Austria. In Munich, however, I heard so much from some tourists, whose acquaintance I made there, about the beautiful scenery in the Tyrol, that I decided to go there for a few days. We were not disappointed by our first view of the mountains, which we saw before we reached the Austrian frontier.

In Kufstein, the first town on the Austrian side of the frontier, when one travels from Munich to Austria, we found a nice little inn which was both good and cheap and decided to stay the night there. We met several other English tourists there and were invited by a gentleman and his wife to inspect the castle with them. The magnificent organ, which can be heard at a great distance from the castle, impressed us very much. Kufstein is altogether a very charming little town with narrow streets and surrounded by the most romantic scenery I have ever seen.

Still more beautiful but scarcely so romantic was Zell-am-See, which we visited when our two days in Kufstein were at an end. From the woods above the lake one has delightful views of the lake. The ascent to the Schmittenhöhe, strenuous though it was, was well (schon) worth the trouble. I shall never grow tired of telling my friends about these delightful days in the Tyrol.

ROTHENBURG OB DER TAUBER

Die schönen Tage in Tirol waren bald vorüber, und Familie London musste nun an den Rhein zurückfahren. Auf der Rückreise wollten sie aber die Gelegenheit wahrnehmen, sich die berühmte Stadt Rothenburg ob der Tauber anzusehen. Nicht nur in Deutschland sondern auch in England war ihnen so viel von der unvergleichlichen Schönheit dieser alten Stadt erzählt worden, dass sie sich zu einem kleinen Umweg entschlossen, anstatt von München aus über Stuttgart nach Köln zu fahren. So fuhren sie von München nach Steinach, einem kleinen Knotenpunkt auf der Strecke München-Würzburg-Frankfurt, und von dort aus mit der Kleinbahn nach Rothenburg.

Bei vielen alten Städten liegt der Bahnhof ziemlich weit von der Stadt entfernt, und der Rothenburger Bahnhof ist in der Beziehung keine Ausnahme, denn er liegt ausserhalb der Stadtmauern. Erst nach einem langen Gang durch den angebauten modernen Stadtteil erreichte Familie London die Stadtmauern und trat, so schien es ihr, im nächsten Augenblick ins Mittelalter hinein! Um das eigentliche Stadttor in der Mauer zu erreichen, mussten sie durch zwei andere Tore, über zwei Brücken und so über den Stadtgraben gehen. Dann hatten sie aber erst das äussere Stadttor passiert. Vor ihnen lag noch das innere Stadttor, durch welches sie in den uralten inneren Stadtteil gelangten, dessen Gebäude zum Teil aus dem 9. Jahrhundert stammen.

Nun befanden sich Londons in dieser unsagbar schönen mittelalterlichen Stadt und bestaunten die Kunstdenkmäler, die sie dort vorfanden. Die kleinen engen Strassen und Gässchen, an deren jeder Ecke und in deren jedem Winkel der Maler Stoff für seine Tätigkeit findet, schienen der Welt, wie Londons sie kannten, gar nicht anzugehören. Dieser Eindruck wurde durch die verschiedenen Stadttore, das äussere Rödertor, das innere Rödertor mit dem Markusturm, das Weisse Tor, das Burgtor, noch erhöht, denn sie schienen die Stadt von der Welt draussen ganz und gar abzuschliessen.

Am Morgen nach ihrer Ankunft in Rothenburg sassen Londons in einem kleinen Café und machten dort die Bekanntschaft eines Engländers, der drei Jahre früher nach Rothenburg gekommen war, mit der Absicht vier Wochen dort zu bleiben, um alles, was ihm besonders gut gefiel, zu malen oder zeichnen. So gut hatte ihm alles gefallen, dass er überhaupt nicht mehr abgereist war. Wie er seine Existenz verdiente, waren Londons viel zu höflich, um zu fragen. Dass er jedoch seine Zeit völlig seiner Kunst widmete, lag auf der Hand.

Zur Mittagsstunde versammelten sich Londons mit vielen anderen Fremden auf dem Marktplatz, um etwas besonders Interessantes zu sehen. In der Giebelwand der Ratstrinkstube klappten zwei Fenster auf, und in ihnen erschienen zwei geschnitzte Figuren, die den Bürgermeister Nusch und den Feldherrn Tilly aus der Zeit des Dreissigjährigen Krieges darstellten. Eine ganz ungewöhnliche Heldentat wird durch dieses Denkmal verewigt. Der Bürgermeister hatte nämlich die Stadt Rothenburg vor der Plünderung durch Tillys Truppen dadurch bewahrt, dass er einen riesigen Humpen leerte, ohne ihn abzusetzen. Jeden Mittag wird die Rettung der Stadt durch die geschnitzten Figuren gefeiert.

Am Markt sind auch die beiden Rathäuser zu sehen, das Neue aus dem 16. Jahrhundert und das Alte, welches dreihundert Jahre älter ist. In der Herrengasse, die auf den Marktplatz mündet, steht der Herterichsbrunnen mit dem Drachentöter an der Säule und den wunderschönsten Ornamenten am Trog. Familie London stand auf dem Marktplatz und freute sich an der mittelalterlichen Atmosphäre, von der sie umgeben war. Dann gingen sie die Herrengasse hinunter und kamen an das Burgtor. Als sie durch dieses Tor gingen, traten sie in die allerschönsten Anlagen hinein. Selbstverständlich wurde ihnen nicht erlaubt, den Rasen zu betreten, obwohl sie das gern tun wollten, um ein paar Aufnahmen zu machen. Die Anlagen waren von der Stadtmauer begrenzt. Man trat an die Mauer und hatte eine unbeschreiblich schöne Aussicht auf das ungewöhnlich enge Taubertal hinab. Frau London unterhielt sich mit einer Dame, die in Rothenburg ansässig war. Ihr wurde von dieser Dame geraten, doch einmal im Frühling wiederzukommen, wenn die Pracht unzähliger Obstbäume die alten Mauern umblüht.

Das Gasthaus, in dem Londons übernachteten, stammte aus dem 14. Jahrhundert und war genau so erhalten, wie es damals gewesen war. Die Holzvertäfelung war geradezu als ein Kunstwerk zu bezeichnen. Die geschnitzten Stühle stellten verschiedene mittelalterliche Figuren dar, Ritter, Mönche und Notare. Als Londons beim Frühstück sassen, spazierten Leute ein und aus, ohne irgend eine Erfrischung zu bestellen, nur um das Gasthaus zu besichtigen. Der Wirt aber lächelte nur dazu, indem er sagte: ,,Ich hoffe Sie heute abend wiederzusehen, meine Herrschaften." Die meisten sah er auch wieder, denn dieses alte Gasthaus war als eine Stätte der Gemütlichkeit bekannt, in der man einen sehr vergnügten Abend verleben konnte. Abend für Abend wurde dort getanzt und gesungen. Solche Abende gehörten auch zu den schönen Erinnerungen, welche Familie London von Rothenburg mit nach Hause nahm.

VOKABELN

der **Umweg** (-e), detour
das **Mittelalter,** Middle Ages
der **Graben** (:), moat, ditch

der **Winkel** (-), corner, nook
die **Tätigkeit** (-en), activity
die **Existenz** (-en), living

die **Giebelwand** (:e), gable end

der **Bürgermeister** (-), mayor
der **Dreissigjährige Krieg,** Thirty Years War
der **Humpen** (-), tankard
der **Drachentöter** (-), slayer of the dragon
das **Ornament** (-e), ornament
der **Frühling,** Spring

die **Holzvertäfelung,** wainscot, panelling
der **Mönch** (-e), monk
die **Stätte** (-n), place (*figurative*)

das **Tor** (-e), gate
die **Mauer** (-n), wall
die **Gasse** (-n), alley, lane
(das **Gässchen,** *diminutive form*)
der **Maler** (-), painter, artist
die **Absicht** (-en), intention
der **Marktplatz** (:e), market place
die **Ratstrinkstube** (-n), Town Hall hostelry
der **Feldherr** (-n, -en), general
die **Plünderung** (-en), plundering, pillage
die **Rettung** (-en), rescue
die **Säule** (-n), pillar, column

der **Trog** (:e), trough
die **Aufnahme** (-n), photograph
die **Pracht** (-en), splendour
der **Ritter** (-), knight

der **Notar** (-e), notary, lawyer
die **Gemütlichkeit,** joviality, jollity

vorüber, over, past
angebaut, built on
innere, inner
unsagbar, unspeakably

unbeschreiblich, indescribable

unzählig, countless

unvergleichlich, incomparable
äussere, outer
uralt, ancient
geschnitzt, carved (**schnitzen,** to carve)
ansässig, resident (permanently)
erhalten, preserved (**erhalten,** to preserve)

Schwache Verben

passieren, to pass through

*gelangen, to arrive
bestaunen, to marvel at
angehören (*sep.*), to belong to
erhöhen, to enhance, to increase
malen, to paint
zeichnen, to draw
*abreisen (*sep.*), to depart
darstellen (*sep.*), to represent, to depict
verewigen, to perpetuate
bewahren, to save, to protect
absetzen (*sep.*), to set down
feiern, to celebrate
münden (**in, auf**), to run (flow, of river) into
begrenzen, to bound, to border
umblühen (*insep.*), to cover, to surround with blossom
lächeln, to smile

Starke Verben

wahrnehmen (*sep.*), to take, to exploit (opportunity)
sich befinden, to be
abschliessen (*sep.*), to shut off

ZUM LERNEN

Er nimmt die Gelegenheit wahr, uns zu besuchen. — He takes the opportunity of visiting us.
Ich entschliesse mich *zu* einem Umweg. — I decide on a detour.
Er gelangt in das Innere der Stadt. — He reaches the interior of the town.
Es liegt auf der Hand. — It is quite obvious.
Er bewahrte die Stadt davor. — He saved the town from it.

* conjugated with **sein**

Diese Strasse mündet auf den Markt (in die Hauptstrasse).	This street runs into the market place (into the main street).
Wir haben einige Aufnahmen gemacht.	We took a few photographs.
Sie war in der Stadt ansässig.	She was resident in the town.

GRAMMATIK

The Passive Voice: Intransitive Verbs

(*a*) Many verbs, though governing a direct object in English (see Lesson 7), govern an indirect object in German and can be used in the passive with an impersonal subject **es** only. In the majority of such cases German prefers the active construction with **man**.

e.g. **Man folgte mir**	I was followed
Man befahl mir	I was ordered
Man hat mir verboten	I have been forbidden

The impersonal passive usage is, however, comparatively common with such verbs as **sagen, erzählen, mitteilen.**

e.g. **Es wurde mir gesagt**	I was told
Es wird uns erzählt	We are told
Es wurde Ihnen mitgeteilt	You were informed

More commonly the subject **es** is omitted and inversion takes place:

Mir wurde gesagt
Uns wurde erzählt
Ihnen wurde mitgeteilt

(*b*) The impersonal form of the passive is used in certain expressions such as '*There is dancing here this evening*' or in categorical statements amounting almost to a command, such as '*There is no smoking here.*'

e.g. **Heute abend wird hier getanzt. (Es wird heute abend hier getanzt.)**

Hier wird nicht geraucht. (Es wird hier nicht geraucht.)

(c) Where English employs the passive form of the infinitive, German uses the active form.

e.g. **Er war nicht mehr zu sehen.**	He was no longer to be seen.
Es war als ein Kunstwerk zu bezeichnen.	It was to be described as a work of art.

Translation of the English Present Participle

Whilst the English present participle with verbal as distinct from adjectival force (see Lesson 3) is occasionally translated in elevated style by the German present participle, the following are the normal ways of rendering the English present participle:

(a) A clause introduced by **indem**:

> **Indem er seinen Hut abnahm, bot er mir seinen Platz an.**
>
> Taking off his hat, he offered me his seat.

(b) Sometimes it is better to use two main clauses joined by **und**:

> **Er erhob sich und sagte . . .**   He got up, saying . . .

(c) Where the English participial phrase indicates a reason for the action expressed by the subsequent main clause, **da** introducing a clause is used in German:

> **Da ich wusste, dass er es allein nicht tun konnte, half ich ihm.**
>
> Knowing that he couldn't do it alone, I helped him.

(d) Where the connection between the English participial phrase and the subsequent main clause is purely temporal, *i.e.*, merely one of time, **als** introducing a clause is used in German:

> **Als er am nächsten Tag in der Stadt ankam, begegnete er einem alten Freund.**
>
> Arriving in town next day, he met an old friend.

(e) Note the construction involved in the translation of *by* and the English present participle:

> **Er rettete die Stadt dadurch, dass er einen Humpen leerte.**
>
> He rescued the town by emptying a tankard.

The preposition **durch** is compounded with **da** (literally *thereby*) and links the two clauses.

AUFGABEN

1. Beantworten Sie folgende Fragen:

(1) Welche Stadt wollte Familie London auf dem Rückweg besuchen? (2) Wie fuhren sie dahin? (3) Wo liegt der Rothenburger Bahnhof? (4) Wie erreicht man vom Bahnhof aus die Stadtmauern von Rothenburg? (5) Was liegt um die Stadt Rothenburg vor den Mauern? (6) Welche Leute finden in Rothenburg interessanten Stoff? (7) Was scheinen die Mauern von Rothenburg zu tun? (8) Warum war Londons englischer Bekannter so lange in Rothenburg geblieben? (9) Wie verbrachte er seine Zeit? (10) Wo befanden sich Londons zur Mittagsstunde? (11) Was war dort zu sehen? (12) Wer war Tilly? (13) Was war der Dreissigjährige Krieg? (14) Mit wem unterhielt sich Frau London, als sie auf das Taubertal hinunterblickte? (15) Was riet ihr diese Dame? (16) Wie alt war das Gasthaus, in dem Londons übernachteten? (17) Was kam Londons im Gasthaus wie ein Kunstwerk vor? (18) Was sagte der Wirt, als Leute hereinkamen, um das Gasthaus zu besichtigen? (19) Warum kehrten jeden Abend viele Leute in diesem Gasthaus ein? (20) Was geschah jeden Abend da?

2. Ergänzen Sie:

(1) Wir nahmen d— Gelegenheit wahr, einig— schön— Aufnahm— zu machen. (2) Haben Sie d— Absicht, auf d— hoh— Mauer zu klettern? (3) Er hat dies— alt— Stadt — d— Zerstörung durch ausländisch— Truppen bewahrt. (4) D— riesig— Humpen wurde von d— tüchtig— Bürgermeister geleert. (5) Man geht über d— Graben und gelangt — d— Stadtmitte. (6) Mei— jünger— Bruder wurde das auch gesagt. (7) Mit welch— Absicht sind Sie an d— Gartentor gegangen? (8) Dies— wunderschön— alt— Brunnen wurde einmal von ei— gross— Maler gemalt. (9) — Frühling kann man sich an d— Pracht d— viel— Obstbäum— freuen. (10) Ich konnte mich — ei— solch— Tat nicht entschliessen.

3. Setzen Sie ins Passiv:

(1) Man teilte mir mit, dass Sie es nicht mehr tun wollen. (2) Man tanzte und sang gestern abend in diesem Gasthaus. (3) Dieser Fremde wird die Kirche zeichnen. (4) Was hat man Ihnen gesagt? (5) Wer erzählte ihr diese Geschichte? (6) Die Aussicht von dem Burgtor erhöhte diesen erfreulichen Eindruck. (7) Zwei geschnitzte Figuren stellen die Hauptpersonen in sehr künstlerischer Weise dar. (8) Ein schönes Denkmal wird seine Heldentat verewigen. (9) Man muss die Gelegenheit sofort wahrnehmen. (10) Man hat den Ausdruck gar nicht gebraucht.

4. Übersetzen Sie:

(1) Repeating the word which I had used, he took his pen from his pocket. (2) Not being able to speak German, he remained silent. (3) Taking his book out of the drawer, he sat down. (4) Leaving the station in the evening, he noticed a little boy in the street. (5) You can earn a little money by helping me in the garden. (6) What was to be done? (7) There's no smoking here! (8) There was dancing here yesterday evening. (9) Where are these books to be bought? (10) We have been followed.

5. Setzen Sie ins Aktiv:

(1) Mir wurde befohlen, da zu bleiben. (2) Viele schöne Bilder sind von diesem Maler gemalt worden. (3) Was ist dir überhaupt gesagt worden? (4) Diese Kunstdenkmäler werden täglich von vielen Fremden bestaunt. (5) Hier wird nicht sehr häufig Fleisch gegessen. (6) Das wird Ihnen verboten werden. (7) Vor Ende des Abends wird dieser neue Schlager mindestens sechsmal gesungen worden sein. (8) Die Fremden wurden von dem Bürgermeister sehr freundlich empfangen. (9) Viele schöne Gedichte sind von diesem Dichter geschrieben worden. (10) Die Frage wurde mir von dem Lehrer gestellt.

6. Übersetzen Sie:

Most people, even in England, have heard of Rothenburg ob der Tauber. I had been told many interesting things about it by some acquaintances, who had been there, before I decided to pay the town a visit myself (selber). I was certainly not disappointed. Rothenburg is the most beautiful town I have ever seen, not only because of the delightful scenery by which it is surrounded, but because it contains more beautiful and interesting old buildings than I have ever seen in all my life, let alone (to say nothing of) in one single town. Coming from the railway station one has at first a different impression, because the station is situated out-side the town walls, as is the case with all such ancient towns.

When one reaches the walls, however, one sees that the first impression was quite wrong. Passing through two different gates, one arrives at last in the interior of the town. When I first saw the market place, I said to myself: "You have stepped into the Middle Ages! This town does not belong to the modern world." My impression was enhanced by the sight of the many ancient but artistic buildings which are to be seen both in the market place and in other streets of the town.

I stayed the night in an extremely interesting old inn, which was visited by many people, who came in solely to admire the wainscot and the beautiful carved chairs which represent knights, monks, lawyers and many other medieval figures. In the evening I spent two or three very pleasant hours in the inn with many other people, who were all singing and dancing. There is singing and dancing in this inn every evening. My last evening there is one of the many happy memories I have brought back with me from Rothenburg.

WIEDERHOLUNG

1. Schreiben Sie einen kurzen Aufsatz über:

   (*a*) Meine Eindrücke von Deutschland.

   (*b*) Eine alte Stadt.

2. Geben Sie die richtige Form des Verbs im Präsens, im Futur, im Vollendeten Futur, im Imperfekt, im Perfekt, im Plusquamperfekt:

   (1) Das (einsehen) er leider nicht. (2) Deswegen (austauschen) wir unsere Bücher. (3) Alle Touristen (vergleichen) diese Stadt mit einer gewissen anderen Stadt in Bayern. (4) Herr Braun (sich befinden) in der Nähe vom Bahnhof. (5) Dieser Sänger (beitragen) viel zu der Gemütlichkeit dieses Lokals. (6) Er (sich verabschieden) noch nicht von uns. (7) Warum (wahrnehmen) du die Gelegenheit nicht? (8) Wann (antreten) dieser Gast die Reise wieder? (9) Was (sich denken) du eigentlich? (10) Wie (auskommen) ihr mit eurem Geld? (11) Er (unterrichten) uns in Sprachen. (12) Deine Arbeit (enttäuschen) mich sehr.

3. Übersetzen Sie:

   (1) I like Stuttgart better than Cologne, but I like Munich best. (2) He has a better pronunciation than you. (3) He is the biggest policeman I have ever seen. (4) Yesterday was the shortest day of the year. (5) Which of these two towns do you like (use 'gefallen') better? (6) Have you heard the latest? (the newest). (7) The days are shorter in spring than in summer, but they are shortest in winter. (8) Which of these three boys can run fastest? (9) The piece was played by the worst pianist I have ever heard. (10) Have you ever been in a smaller house?

4. Ergänzen Sie:

   (1) Sind Sie — d— Lage, mir ei— Antwort zu geben? (2) Wann wird es, Ih— Meinung — , dies— Herrn gelingen, d— nötig— Beweis zu finden? (3) Solch— Ding— sind kaum d— Mühe wert. (4) D— dunkl— Nacht trägt zu dies— unheimlich— Gefühl bei. (5) Wegen sei— mittelalterlich— Atmosphäre

wird dies— entzückend— Badeort jed— Jahr von viel— Maler—
besucht. (6) Mit schön— Andenken jed— Art fahren d—
meist— Leute nach Hause zurück. (7) Das können Sie unmöglich — eigen— Erfahrung wissen. (8) Hoffentlich entspricht
d— Essen in dies— klein— Gasthaus Ih— Erwartungen. (9)
Mei— erst— Eindruck von d— Preis— in dies— Läden war nicht
sehr günstig. (10) Nicht all— Bürger d— Bundesrepublik
erinnern sich — d— erst— Weltkrieg.

5. Setzen Sie ins Passiv:

(1) Warum hat der Lehrer dich nicht gefragt? (2) Das hast
du mir nie gesagt. (3) Nach dem Krieg baute man die Stadt
schnell wieder auf. (4) Man wird ihm wahrscheinlich eine
etwas komische Antwort geben. (5) Der Bürgermeister führte
uns in das Rathaus hinein. (6) Man wird Sie vielleicht nicht
verstehen. (7) Der alte Bürgermeister hat die Stadt vor der
Plünderung bewahrt. (8) Hat er selber das Haus gekauft?
(9) Hatte man ihr einen neuen Regenschirm versprochen?
(10) Mein Bruder wird die Tür schon vorher zugemacht haben.

6. Übersetzen Sie:

(1) Entering the house, he took off his coat and hung it up.
(2) Not knowing what I wanted, he was unable to give me anything. (3) Giving me the book, he stood up and left the room.
(4) Running (use 'fliessen') water is not to be found in every
hotel room. (5) What was to be bought in town this afternoon?
(6) You can help me best by not saying any more about it. (7)
Why was he ordered to return home without her? (8) You will
never be allowed to walk on the grass in this park. (9) You have
never tried to explain it by giving us an example. (10) Don't
be surprised when you find it is not worth the trouble.

7. Ergänzen Sie durch ein passendes Verbum:

(1) Er ist immer froh, wenn er uns auf den Arm — kann. (2)
Manchmal — er auch etwas zu unserem Vergnügen bei. (3) Sie
haben sich als sehr tüchtig — . (4) Ich konnte mich einfach
nicht dazu — . (5) Ja, das — auf der Hand. (6) Dieser Feldherr — sein Vaterland vor dem Zusammenbruch. (7) Er ging
durch das Tor und — in die Stadt selbst. (8) Die nächste Strasse
— in die Bahnhofstrasse. (9) Solche Gelegenheiten muss man
immer — . (10) Auf unserer Deutschlandreise haben wir einige
sehr nette Aufnahmen — .

8. Übersetzen Sie:

Last week I was invited by a very good friend of mine to visit
him at his house in a small village not far from our town. He

wanted to show me some very good photographs which he had taken during a holiday in Southern Germany and Austria, where he had spent three weeks with his wife and children. I had already been told much about Germany and Austria by other friends, but I gladly took the opportunity of hearing still more about these two beautiful countries and seeing my friend's delight-ful pictures.

Both he and his family had been very pleased with (use ('gefallen') all that they had seen while they were abroad. I was not surprised to hear his report on conditions in Austria, where most things are obviously cheaper than in Germany.

EINE DAMPFERFAHRT AUF DEM RHEIN

„Rheinreise ist Rheinfahrt." Das ist ein alter Spruch, den man in fast jedem Reisehandbuch findet. Auch Londons waren der Ansicht, dass sie nur auf einer Dampferfahrt den Rhein wirklich kennenlernen konnten. Als sie nun von Süddeutschland an den Rhein zurückfuhren, beschlossen sie, mit dem Dampfer von Mainz nach dem Siebengebirge in der Nähe von Bonn zu fahren.

An einem schönen Augustmorgen gingen sie in Mainz an Bord eines der schönen weissen Dampfer der Köln-Düsseldorfer Rheindampfschiffahrtsgesellschaft und machten es sich auf dem glasüberdeckten Deck bequem. Sie hatten eine Fahrt von fast sieben Stunden vor sich, aber sie hatten keine Angst vor Langeweile, denn zu einer Rheinfahrt braucht nur die Sonne zu scheinen, und dann ist jede Minute der Fahrt eine wahrhaftige Freude. Da die Köln-Düsseldorfer übrigens für ihre gute Küche und ihre Weine, die aus ihren eigenen Kellereien stammen, bekannt sind, war die Verpflegung unterwegs auch kein Problem.

Bald liessen sie die Türme von Mainz, ,*der goldenen Stadt am Rhein*,' hinter sich und glitten an einem kleinen romantischen Städtchen nach dem anderen vorbei, bis sie ungefähr anderthalb Stunden später in Rüdesheim anlegten. „Schade, dass unsere Zeit uns nicht erlaubt, hier auszusteigen," sagte Herr London. „Ich möchte euch so gern mit der berühmten Drosselgasse bekanntmachen. In keinem anderen rheinischen Städtchen kann man die rheinische Fröhlichkeit in solchem Masse erleben, wie in den Weinstuben der Drosselgasse." Kaum hatte er das gesagt, da stimmte ein Sänger, der die Passagiere schon seit einigen Minuten mit Gesang und Lautenspiel unterhielt, ein Lied an, dessen Refrain alle eifrig mitsangen:

In der Drosselgass' zu Rüdesheim
Trinkt man den allerbesten Wein,
Da wohnt ein Mädel sonnigblond,
Das ich geküsst im Honigmond.

In der Drosselgass' zu Rüdesheim
Sei mir gegrüsst, du goldner Wein.
Ich glaub, dass du so herrlich bist,
Weil dein Weingold ‚Rheingold' ist.

Oberhalb Rüdesheim auf dem Niederwald steht das riesige Nationaldenkmal. Als Londons zu diesem Standbild von Germania hinaufschauten, fragte die kleine Mary verwundert: „Was tun all die Leute in den Stühlen?" „Das ist der Sessellift zum Denkmal," antwortete Herr London. „Man setzt sich unten in den Sessel und wird zum Denkmal hinaufgefahren."

Bald hielt der Dampfer auch in Bingen am gegenüberliegenden Rheinufer. Hier mündet die Nahe in den Rhein. Interessant fanden besonders die Kinder die Legende vom Mäuseturm, der auf einem Felsenriffe im Rhein steht. Vor langen Jahren wurden die vorbeifahrenden Schiffe vom Erzbischof Hatto von Mainz, der den Musturm oder Waffenturm an dieser engen Stelle des Rheins gebaut hatte, gezwungen, Zoll zu bezahlen. Das war zwar nicht sehr freundlich von diesem Herrn, aber ob er wirklich so schlecht war, wie die Sage ihn schildert, ist eine andere Frage. Als nämlich in Rheinhessen grosse Hungersnot herrschte, liess er — so erzählt die Sage — all die armen hungrigen Leute, die ihn um Brot anbettelten, in seine Scheune kommen, schloss sie ein und steckte die Scheune in Brand. Als nachher auch die Mäuse so hungrig wurden, dass sie sogar Menschen fressen wollten, rettete sich Erzbischof Hatto auf seinen Musturm — jetzt Mäuseturm genannt — im Rhein. Das half aber nichts. Der Mäuseturm wurde von den Mäusen überrannt, und zur Strafe für seine Grausamkeit wurde der Erzbischof bei lebendigem Leibe aufgefressen.

Nun fuhr der Dampfer weiter. An beiden Ufern glitten kleine malerische Städtchen vorbei: Assmannshausen, bekannt wegen seines feurigen Rotweins, Lorch, Bacharach, dessen Ruinen Zeugnis von einer interessanten Vergangenheit ablegen, und Kaub. Als der Dampfer Kaub anlief, gab der Sänger das schöne Lied von dem hübschen Elslein zum Besten:

Es liegt ein Städtlein an dem Rhein,
's ist keines sonst ihm gleich,
Da drinnen wohnt die Liebste mein,
Die Schönst' im ganzen Reich.

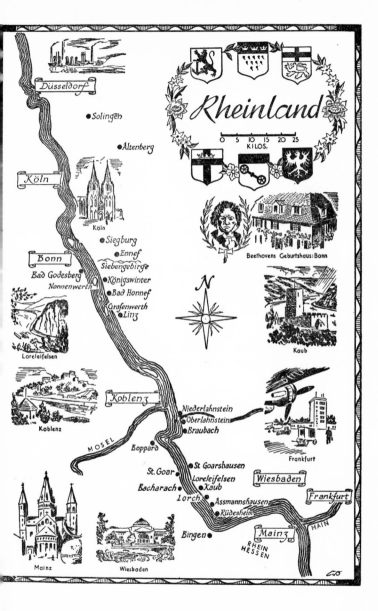

Düsseldorf

Solingen

Altenberg

Rheinland

0 5 10 15 20 25
KILOS.

Köln

Köln

Beethovens Geburtshaus: Bonn

Siegburg

Ennef

Bonn

Siebengebirge

Bad Godesberg

Königswinter

Nonnenwerth

Bad Honnef

Grafenwerth

Linz

N

Kaub

Loreleifelsen

Koblenz

Koblenz

Niederlahnstein

Oberlahnstein

Braubach

MOSEL

Boppard

Frankfurt

St. Goarshausen

St. Goar

Loreleifelsen

Wiesbaden

Bacharach

Kaub

Frankfurt

Lorch

Assmannshausen

Rüdesheim

Mainz

Bingen

RHEIN
HESSEN

MAIN

Mainz

Wiesbaden

Ach Elslein, ach Elslein
Du Rose im Laub,
Dich lieb' ich ewig,
Mein Elslein von Caub.

Bei Kaub sah Familie London die eigenartige kleine Burg, die Pfalz genannt, die Ludwig der Bayer im 14. Jarhundert als Zollwache auf einer kleinen Insel im Rhein baute. Unter anderem ist Kaub dadurch berühmt geworden, dass der Feldmarschall Blücher mit seinen Truppen in der Neujahrsnacht 1813–14 hier über den Rhein ging.

Und so ging es immer weiter. St. Goar, Boppard, Braubach—lauter romantische Orte von Weinbergen überragt und von den Ruinen mittelalterlicher Raubritterschlösser bewacht. Bei St. Goarshausen sahen Londons zum erstenmal den berühmten Loreleifelsen, der durch das Gedicht von Heinrich Heine in aller Welt bekannt geworden ist. In St. Goar, wo der Heilige dieses Namens schon im 6. Jahrhundert das Wort Gottes gepredigt haben soll, sahen sie die gewaltige Burgruine Rheinfels, der 1797 von den Truppen der jungen französischen Republik zerstört wurde, und gegenüber in St. Goarshausen die beiden Ruinen Burg Katz und Burg Maus. Am eindrucksvollsten unter allen Schlössern, die Familie London im Laufe dieser herrlichen Fahrt sah, war vielleicht die Marksburg bei Braubach, die völlig erhalten ist.

An der Lahnmündung zwischen Ober- und Niederlahnstein vorbei, wo auf der einen Rheinseite das herrliche Schloss Stolzenfels und auf der anderen Schloss Lahneck emporragen, fuhren Londons nun weiter rheinabwärts und erreichten bald Koblenz an der Moselmündung. Wo die Mosel in den Rhein fliesst, ist das sogenannte Deutsche Eck, an dem vor dem zweiten Weltkrieg das grosse Denkmal Kaiser Wilhelms I. sich erhob. Von dem Deutschen Eck blickt man auf die gewaltige Festung Ehrenbreitstein auf dem gegenüberliegenden Rheinufer. „Wenn wir Zeit haben, werden wir vielleicht vor Ende der Ferien noch nach Koblenz zurückkommen," sagte Herr London. „Dann werden wir einen Abend in dem berühmten Weindorf verbringen, wo es auch sehr lustig zugeht. Ohne einen solchen Abend am Rhein verlebt zu haben, dürfen wir nicht nach England zurückkehren."

Nun dauerte die Fahrt bis Bad Honnef, wo sie aussteigen wollten, nur noch zwei Stunden, und da die Landschaft jetzt etwas flach und eintönig geworden war, denn zwischen Koblenz und Linz war eigentlich nicht mehr viel zu sehen, nutzten Londons die Gelegenheit aus, sich das Schiff anzusehen. Die holzgetäfelten Salons und die eleganten Speisesäle imponierten ihnen sehr. Es gab auch einen kleinen Kiosk, wo man Bücher, Ansichtskarten und Andenken kaufen konnte.

Nun legte der Dampfer in Linz an. „Dieses reizende kleine mittelalterliche Städtchen mit seinen Fachwerkhäusern werden wir von Honnef aus einmal besuchen," sagte Herr London. Von Linz fuhr der Dampfer nach Remagen hinüber, dem Ausgangspunkt für Ausflüge in das Ahrtal. Von der berühmten Ludendorfbrücke, welche die Amerikaner im zweiten Weltkrieg zum Rheinübergang benutzten, war nicht mehr viel zu sehen. An Unkel vorbei, ging es nun schnell nach dem schönen Bad Honnef, wo Familie London die nächsten paar Tage verbringen wollte. Hier stiegen sie aus, mit dem Gefühl eines der schönsten und grossartigsten Erlebnisse ihres Lebens hinter sich zu haben.

VOKABELN

der **Spruch** (¨e), saying, axiom

die **Dampfschiffahrtsgesellschaft** (-en), steamship company

die **Angst** (¨e), fear

die **Kellerei** (-en), cellarage

die **Fröhlichkeit,** jollity

der **Passagier** (-e), passenger

die **Laute** (-n), lute

das **Standbild** (-er), statue

das **Ufer** (-), bank (of river, etc.)

das **Riff** (-e), reef

der **Erzbischof** (¨e), archbishop

die **Legende** (-n), legend

die **Hungersnot,** famine

die **Strafe** (-n), punishment

der **Leib** (-er), body

die **Ansicht** (-en), view

das **Deck** (-e), deck

die **Küche,** cuisine, cooking (also 'kitchen')

die **Verpflegung** (-en), food (feeding)

das **Mass** (-e), measure

der **Gesang,** singing, song

der **Refrain** (-s), chorus, refrain

der **Sessellift** (-e or -s), armchair lift

die **Maus** (¨e), mouse

der **Fels** (or **Felsen**) (-ens, -en), rock

die **Waffe** (-n), weapon

die **Sage** (-n), legend

die **Scheune** (-n), barn

die **Grausamkeit** (-en), cruelty

das **Zeugnis** (-nisses, -nisse), evidence

die **Vergangenheit,** past
der **Heilige** (*adjectival noun*), saint
die **Festung** (**-en**), fortress
der **Speisesaal** (**-säle**), dining-room
der **Ausgangspunkt** (**-e**), starting point

glasüberdeckt, glass-covered
verwundert, surprised, in surprise
malerisch, picturesque
gewaltig, mighty, powerful
grossartig, magnificent, grand

die **Insel** (**-n**), island
die **Mündung** (**-en**), estuary
der **Salon** (**-s**), saloon, lounge
das **Fachwerkhaus** (**¨er**), half-timbered house
der **Übergang** (**¨e**), crossing

ungefähr, about, approximately
hungrig, hungry

feurig, fiery
holzgetäfelt, panelled

Schwache Verben

anlegen (*sep.*), to put in (shipping)
anstimmen (*sep.*), to strike up (song)
küssen, to kiss
bauen, to build
schildern, to depict, to describe

anbetteln (*sep.*), to beg from
überrennen (*irreg.*), to overrun

bewachen, to guard
predigen, to preach
zerstören, to destroy
ausnutzen (*sep.*), to exploit, to make use of
benutzen, to use

Starke Verben

beschliessen, to decide

*****gleiten,** to glide

zwingen, to force
fressen, to eat (of animals)
anlaufen (*sep.*), to make for, to approach (shipping)
*****fliessen,** to flow
*****zugehen** (*sep.*), to proceed, to go on

ZUM LERNEN

Ich bin der Ansicht, dass . . .	I am of the opinion that . . .
an Bord eines Schiffes	on board a ship
Ich mache es mir bequem.	I make myself comfortable.
Ich habe Angst vor ihm.	I am afraid of him.
Ich möchte es tun.	I should like to do it.
Es hilft nichts.	It's no use.
Es legt Zeugnis von einer interessanten Vergangenheit ab.	It bears witness to an interesting past.

***** conjugated with **sein**

Rheininsel Grafenwerth bei Bad Honnef:
Blick auf die Burgruine Drachenfels 96

Bad Godesberg

München: Deutsches Museum

bei lebendigem Leibe	alive
vor Ende der Ferien	before the end of the holidays
Es geht lustig zu.	There is a jolly atmosphere. (*literally:* Things proceed in jolly fashion.)

GRAMMATIK

Government of the Infinitive

1. There are a number of verbs which govern the infinitive without **zu**. Of these the modal auxiliary verbs are the commonest. Other verbs governing the infinitive without **zu** are:

heissen, helfen, lassen, lernen, lehren, sehen, hören, kommen, gehen.

e.g. **Er hiess mich die Tür zumachen.**
He bade me close the door.

Ich helfe ihm den Koffer auf den Bahnhof tragen.
I am helping him to carry his suitcase to the station.

Ich lehrte ihn besser schreiben.
I taught him to write better.

2. The verbs **kommen** and **gehen**, though rarely used in such a way as to govern an infinitive, are found in such phrases as:

Ich gehe schlafen.   **Kommst du essen?**

N.B.—Do not attempt to use **gehen** to translate such expressions as '*What are we going to do?*' German uses **sollen** or **wollen**. Note especially the use of **wollen** in such expressions as '*I was going to say,*' '*I was going to do.*'

e.g. **Ich wollte sagen,** or **Was ich sagen wollte. . .**
Das wollte ich tun.

3. The verb **lassen** is used with a dependent infinitive to express the English phrase '*to have something done*' (*cf.* French *faire faire*).

Er liess das Paket gestern abschicken.
He had the parcel sent off yesterday.

D.S.D.—G

The perfect tense in such instances corresponds to that of the modal auxiliaries:

Er hat das Paket noch nicht abschicken lassen.
He hasn't had the parcel sent off yet.

4. All other verbs and all expressions other than verbs, such as nouns, adjectives and prepositions, require **zu** before the infinitive they govern:

Es freut mich, das zu hören.
I am pleased to hear that.

Ich habe keine Zeit, einen zweiten Brief zu schreiben.
I have no time to write a second letter.

Ohne mich anzusehen, ging er aus dem Zimmer.
Without looking at me he went out of the room.

The Interrogative Pronouns

1. The forms referring to persons are already familiar.

Nominative:	**wer?**
Accusative:	**wen?**
Genitive:	**wessen?**
Dative:	**wem?**

2. The form **was** refers to things in both nominative and accusative cases. It has no genitive or dative form.*

After prepositions the word **was** is not used. Instead a compound form analogous to those compounded of the pronoun *it* and the prepositions is used. Thus one says **womit?, wovon?, worin?, woraus?** etc. These forms are also used as relative pronouns.

Do not attempt to translate literally the undesirable English colloquial form '*What is he writing with?*', etc. Translate instead '*With what is he writing?*'

> *e.g.* **Womit schreibt er?**
> **Worauf sitzt er?**
> **Wovon sprechen Sie?**

AUFGABEN

1. Beantworten Sie folgende Fragen:

(1) Wie kann man den Rhein am besten kennenlernen? (2) Wohin wollte Familie London von Mainz aus fahren? (3)

* An old genitive form **wes** still exists in the words **weshalb** and **weswegen**—*for what reason.*

Wie heisst die Gesellschaft, deren Dampfer auf dem Rhein fahren?
(4) Wofür sind die Rheindampfer bekannt? (5) Welche Strasse in Rüdesheim wird häufig von Leuten besucht, die die rheinische Fröhlichkeit erleben wollen? (6) Womit unterhielt der Sänger die Passagiere? (7) Wie kann man von Rüdesheim aus das Niederwalddenkmal am bequemsten erreichen? (8) Wo mündet die Nahe in den Rhein? (9) Von wem wurden vor langen Jahren die Schiffe gezwungen, Zoll zu bezahlen? (10) Erzählen Sie die Legende von dem Mäuseturm! (11) Wofür ist Assmannshausen bekannt? (12) Was ist die Pfalz bei Kaub? (13) Wofür ist Kaub sonst noch berühmt? (14) Wodurch ist der Loreleifelsen in aller Welt bekannt geworden? (15) Wo liegt Koblenz? (16) Wo kann man in Koblenz einen fröhlichen Abend verleben? (17) Was fanden Londons auf dem Schiff besonders eindrucksvoll? (18) Wo konnte man auf dem Schiff Andenken und Ansichtskarten kaufen? (19) Welche Stadt ist der Ausgangspunkt für Ausflüge ins Ahrtal? (20) Mit was für einem Gefühl verliessen Londons in Bad Honnef das Schiff?

2. Was ist richtig?

(1) Ich habe gar keine Gelegenheit mehr, deutsche Bücher (lesen, zu lesen). (2) Wir lernen ganz schwere Wörter (aussprechen, auszusprechen). (3) Ohne sein neues Buch gelesen (haben, zu haben), sind Sie nicht in der Lage, eine Meinung (bilden, zu bilden). (4) Gehen Sie gern (schwimmen, zu schwimmen)? (5) Das dürfen Sie nie (tun, zu tun). (6) Er hiess mich ohne weiteres (eintreten, einzutreten). (7) Das ist keine Art und Weise, den Rhein (kennenlernen, kennenzulernen). (8) Er soll ein ausserordentlich guter Pianist (sein, zu sein). (9) Er wollte uns nicht (eintreten, einzutreten) (lassen, zu lassen). (10) Wollen Sie mir (packen, zu packen) (helfen, zu helfen)?

3. Übersetzen Sie:

(1) To whom did you give the money? (2) For whom did he write the poem? (3) What are you sitting on? (4) Whose book is that? (5) With whom are you going to Germany? (6) Whom are we going to visit this evening? (7) What are we fighting against? (8) What are we to eat our dinner with? We have no knives and forks.

4. Ergänzen Sie:

(1) Sind Sie auch d— Ansicht, dass wir ihn an Bord d— Dampfer— finden werden? (2) Er hat uns — manch— interessant— Städtchen bekanntgemacht. (3) Mit d— Zug fahre ich an d— Rhein zurück, und dann hoffe ich, auf ei— schön— Rheinfahrt dies— gross— deutsch— Fluss kennenzulernen. (4) Haben Sie

Angst — Mäus— ? (5) Von ei— Heilig— wurde d— Wort
Gott— hier gepredigt. (6) D— Fachwerkhäus— dies— reizend— Städtchen gefallen all— Leut— sehr gut. (7) Von
Remagen, ei— klein— Stadt am Rhein, kann man schön—
Ausflüg— in d— Ahrtal machen. (8) D— meist— Passagier—
sitzen in d— holzgetäfelt— Salon—, die all— Fremd— sehr
imponieren. (9) An ei— schön— Stadt nach d— ander—
fährt der Dampfer vorbei. (10) Nicht in jedem Land kann man
solch— Fröhlichkeit erleben, und bestimmt nicht in solch—
Mass—.

5. Geben Sie die richtige Form des Verbs im Präsens, im
   Imperfekt, im Futur, im Perfekt:

   (1) (Anlegen) der Dampfer auch in Kaub? (2) Die Mäuse
   (fressen) den Käse. (3) Hier (zugehen) es nicht immer so lustig.
   (4) Die armen hungrigen Leute (anbetteln) den Erzbischof von
   Mainz. (5) Wer (predigen) am Sonntag in dieser Kirche?
   (6) Unser Schiff (vorbeigleiten) an vielen Raubritterschlössern.
   (7) Viele Dichter (schildern) das rheinische Leben. (8) Er
   (zwingen) uns, sofort zurückzukehren. (9) Ich glaube nicht,
   dass dieser Fluss immer so schnell (fliessen). (10) Sofort
   (beschliessen) wir, zu Hause zu bleiben.

6. Übersetzen Sie:

   (1) Have you ever been on board a big ship? (2) Make yourself
   comfortable. (3) What would you like to do now? (4) Why
   are you afraid of mice? (5) Before the end of the month I shall
   have begun to build my new house. (6) He did his best but it
   was no use. (7) He has not yet learned to swim. (8) Perhaps
   he will help you to learn the language. (9) Who asked him to
   strike up a song? (10) The mouse tower was quickly overrun
   by the mice.

7. Übersetzen Sie:

   One of our greatest experiences during our holiday in Germany
   was our steamer trip on the Rhine. In order to get to know this
   great German river really well one has to travel by steamer from
   Mayence to Cologne. As we had time enough, we did not need
   to travel by express train, for although the steamer travels more
   slowly than the train, we saw much more of the beautiful scenery
   from the deck of the Cologne–Düsseldorf steamship company's
   steamer than one can see from the train.
   I cannot even try to describe all the romantic little towns,
   where our steamer put in, and I can scarcely count the castles we
   saw on both banks of the river. Many legends are told and many

songs are sung about the castles, the rocks, the robber knights and the wine which have all made the Rhine famous. As we passed the well-known Lorelei rock, all the passengers on board our steamer sang the beautiful folk-song, *Die Lorelei*, and as our steamer put in at various (different) little towns other jolly songs were sung. Before the end of the year I hope to visit the Rhineland once more.

DAS SIEBENGEBIRGE

Am Rande des kleinen Berglandes, welches den sieben
Bergen Löwenburg, Lohrberg, Nonnenstromberg, Oelberg,
Petersberg, Wolkenburg und Drachenfels seinen Namen
Siebengebirge verdankt, liegt das schöne kleine Städtchen
Bad Honnef, wo Familie London die übrigen drei oder vier
Tage ihrer Ferien verbringen wollte. Dank seiner präch-
tigen Lage bietet es eine unvergleichliche Fülle der Spaziergänge und Touren, und dabei braucht man weder zu weit
zu wandern noch über einen unerschöpflichen Geldbeutel
zu verfügen. Auf der Rückfahrt aus Süddeutschland an
den Rhein hatte Frau London zu ihrem Mann gesagt, sie
hätte ihre Deutschlandreise doch sehr ermüdend gefunden.
So müde wäre sie, hatte sie noch hinzugefügt, dass sie
sich beinahe von den Ferien erholen müsste. Darauf hatte
Herr London geantwortet, er wüsste genau, was sie zum
Schluss noch brauchte, und das wäre ein paar Tage Ruhe
in dem deutschen Nizza, wie Bad Honnef von dem berühmten
deutschen Forscher Alexander von Humboldt einmal genannt
wurde.

Nun hielten sich Londons in Honnef auf und machten sehr
schöne Wanderungen in dem Siebengebirge. Da sie den
Wald ganz besonders liebten, gingen sie ein paar Mal in das
Schmelztal, wo die Kinder die Rehe fütterten. Man hatte
ihnen schon gesagt, dass diese anmutigen Tiere sehr zahm
wären, aber sie wunderten sich trotzdem, als die Rehe
ihnen aus der Hand frassen. Genau so zahm waren die
Eichhörnchen, die auch ganz nahe an sie heranliefen.

Ein Herr, der in Londons Hotel wohnte, sagte ihnen, dass
ein Spaziergang durch den Wald nach Heisterbach mit seiner
Klosterruine sehr zu empfehlen sei. Londons zogen also
gleich nach dem Mittagessen los, marschierten an der Löwenburg vorbei und kehrten dann in einem sehr schön gelegenen
Gasthaus im Walde ein, um sich mit Kaffee und Kuchen
zu erfrischen. Nach dem Kaffee gingen sie weiter und kamen

nach dem Heisterbacher Klostergarten, wo sie die Ruine besichtigten. Als die Kinder Herrn London fragten, ob er ihnen die Legende vom Mönch zu Heisterbach erzählen könnte, erzählte er ihnen folgende Geschichte, die er schon vorher gelesen hatte.

Vor vielen Jahrhunderten wurde ein Mönch, der an Gottes Wort zweifelte, im Walde verzaubert und dazu verurteilt, Jahrhunderte lang zu schlafen. Als er dann aus dem Schlaf erwachte und seine Zelle wieder aufsuchte, fand er das Kloster von fremden Mönchen bewohnt. Erst als es sich im Gespräch herausstellte, dass er der Klosterbruder sei, der den überlieferten Klosterurkunden gemäss mehr als tausend Jahre früher im Walde spurlos verschwunden war, wurde er gewahr, dass Gottes Wort sich an ihm bewahrheitet hatte und zerfiel auf der Stelle in Staub.

Wer gern auf Berge steigt, ohne sich allzu sehr anstrengen zu müssen, kommt auch in der Siebengebirgsgegend auf seine Kosten. Von Honnef fuhren Londons mit der Elektrischen nach dem berühmten Königswinter, um von dort aus auf den Drachenfels zu steigen. Wer sich zu alt oder zu behäbig fühlt, um diesen Spaziergang zu unternehmen, kann mit der Zahnradbahn hinauffahren oder sogar auf einem Esel hinaufreiten. Wenn man aber einmal oben steht, hat man eine Aussicht, die jede Anstrengung der Mühe wert macht. Rheinaufwärts blickt man auf die beiden Inseln Nonnenwerth und Grafenwerth hinunter; auf der anderen Rheinseite sieht man den Rolandsbogen in Rolandseck; etwas weiter südlich sieht man Remagen und dahinter die Berge der Eifel. Rheinabwärts sieht man zunächst die Godesburg in Godesberg, der Gartenstadt am Rhein, dahinter den Turm des Bonner Münsters und bei besonders klarem Wetter sogar den Kölner Dom.

Der Rheinstrom selbst aber war es, der sowohl die jungen als auch die alten Mitglieder der Familie London immer wieder anzog. Sie wurden nie müde, auf der Insel Grafenwerth am Rande des Wassers zu sitzen und dem unaufhörlichen Betrieb auf dem Strom zuzusehen. Schleppdampfer und Schleppkähne, Motorboote, Dampfer der Köln-Düsseldorfer und der Niederländischen Dampfschiffahrtsgesellschaft zogen ununterbrochen vorbei. Man hatte immer etwas zu sehen. Genau so schön war es, rheinaufwärts nach Unkel oder rheinabwärts nach Königswinter spazierenzugehen. So lange man von

der Hauptstrasse wegblieb, denn sie ist schliesslich eine Haupt-
verkehrsstrasse und dabei sehr eng, hatte man in Bad Honnef
und Umgebung gerade die Ruhe, die Londons nach ihrer
etwas anstrengenden Tour brauchten. Abends sassen sie im
Kurgarten und hörten die Musik der Kapelle, oder machten
eine Abendfahrt auf dem Rhein, denn gerade dann, wenn
auf beiden Ufern alle Lichter brennen und sich im Strome
spiegeln, ist der Rhein wohl am schönsten. Kein Wunder,
dass Frau London sagte, die Tage in Honnef wären ein herr-
licher Abschluss eines wunderbaren Ferienaufenthaltes in
Deutschland.

VOKABELN

die **Fülle,** abundance, plenty
der **Forscher** (-), explorer
das **Reh** (-e), deer
das **Eichhörnchen** (-), squirrel
der **Schlaf,** sleep
der **Klosterbruder** (¨), monk
der **Staub** (-e), dust

der **Esel** (-), ass, donkey

das **Münster** (-), minster

der **Schleppdampfer** (-), tug
das **Licht** (-er), light

der **Geldbeutel** (-), purse
der **Wald** (¨er), wood, forest
das **Tier** (-e), animal
das **Kloster** (¨), monastery
die **Zelle** (-n), cell
die **Urkunde** (-n), document
die **Zahnradbahn** (-en), rack
and pinion railway
die **Anstrengung** (-en), exertion
der **Strom** (¨e), river (large
river)
der **Schleppkahn** (¨e), barge

unerschöpflich, inexhaustible
anmutig, graceful
gelegen, situated
spurlos, without trace
behäbig, portly, comfortable
unaufhörlich, incessantly

ermüdend, tiring
zahm, tame
gemäss, according to
gewahr, aware
südlich, to the south, southerly

Schwache Verben

verfügen, (**über**), to have at
one's disposal
hinzufügen (*sep.*), to add

füttern, to feed
***marschieren,** to march, to
walk
erfrischen, to refresh

Starke Verben

***zerfallen,** to disintegrate, to
fall away, to crumble
unternehmen (*insep.*), to undertake
***reiten,** to ride
anziehen (*sep.*), to attract

* conjugated with **sein**

Schwache Verben

zweifeln, to doubt (*intrans.*)
verzaubern, to bewitch
verurteilen, to condemn
*****erwachen,** to waken (*intrans.*)
aufsuchen (*sep.*), to seek out
sich bewahrheiten, to be proved true
sich spiegeln, to be reflected

ZUM LERNEN

dank seiner prächtigen (*dative*) **Lage** (also used with *genitive*)	thanks to its splendid position
eine Fülle der Spaziergänge	an abundance of walks
Er verfügt über einen dicken Geldbeutel.	He has at his disposal a fat purse.
Das Tier frass mir aus der Hand.	The animal ate out of my hand.
Er zweifelte an meinem Wort.	He doubted my word.
den Urkunden gemäss	according to the documents
bei klarem Wetter	in clear weather
immer wieder	again and again

GRAMMATIK

The Subjunctive Mood

1. *Formation*

(a) *Present Tense*

The present subjunctive is formed from the stem of the infinitive as follows:

	tragen	**haben**	**müssen**	**wissen**
ich	**trag**e	**hab**e	**müss**e	**wiss**e
du	**trag**est	**hab**est	**müss**est	**wiss**est
er sie es	**trag**e	**hab**e	**müss**e	**wiss**e
wir	**trag**en	**hab**en	**müss**en	**wiss**en
ihr	**trag**et	**hab**et	**müss**et	**wiss**et
Sie	**trag**en	**hab**en	**müss**en	**wiss**en
sie	**trag**en	**hab**en	**müss**en	**wiss**en

* conjugated with **sein**

N.B.—The present subjunctive of **sein** is irregular:

ich	**sei**	wir	**seien**
du	**sei(e)st**	ihr	**seiet**
er		Sie	**seien**
sie	**sei**	sie	**seien**
es			

(b) Imperfect Tense

(i) Weak verbs have the same form in the imperfect subjunctive as in the imperfect indicative:

N.B.—**können, dürfen, müssen** and **mögen** reacquire the Umlaut in the stem:

ich könnte, ich dürfte, ich müsste, ich möchte

(ii) Strong and irregular weak verbs modify the root vowel of the 1st person singular imperfect indicative and add **e, est, e,** etc. to form the imperfect subjunctive. (Where there is already an **e** at the end of the 1st person singular imperfect indicative no further **e** is added.)

sein	**haben**	**gehen**	**bringen**
wäre	**hätte**	**ginge**	**brächte**
wärest	**hättest**	**gingest**	**brächtest**
wäre	**hätte**	**ginge**	**brächte**

kommen	**wissen**
käme	**wüsste**
kämest	**wüsstest**
käme	**wüsste**

2. Use of the Subjunctive

(a) The subjunctive is used in main clauses to express a wish or a command:

Er lebe hoch!	Three cheers for him!
Es lebe die Königin!	Long live the Queen!
Gott segne sie!	God bless her!
Wäre das nur möglich!	Would only that were possible!
Könnte ich dir bloss helfen!	If only I could help you!

(*b*) The subjunctive is used in indirect speech (statement or question). Any verb of saying, asking, declaring, maintaining or thinking may introduce indirect speech:

Man sagte, er wäre (sei) in einer sehr schwierigen Lage.
It was said that he was in a very difficult position.

Er behauptete, Sie hätten das noch nicht gesehen.
He asserted that you hadn't seen that.

Ich fragte, ob er das auch wüsste (wisse).
I asked whether he knew that too.

N.B.—Just as in English, the conjunction **dass** (*that*) may be either omitted or included in an indirect statement. Thus the first two examples given above might read equally correctly:

Man sagte, dass er in einer sehr schwierigen Lage wäre (sei).

Er behauptete, dass Sie das noch nicht gesehen hätten.

When the verb in the main clause is in the present tense, the subjunctive is not used in the subordinate clause, unless doubt is to be cast on the truth of the statement:

Ich sage, dass er das nicht tun kann.
Man sagt, er habe zu viel Geld, aber das kann nicht der Fall sein.

After an imperative or in the case of an indirect question in the present tense there can be no question of using the subjunctive in the subordinate clause, since one asks for an answer in expectation of being told the truth:

> **Sagen Sie ihm, dass er auch mitgehen muss.**
> **Er fragt, ob Sie jetzt fertig sind.**

3. *Tense*

Although the verb in the main clause is past tense, the present subjunctive may be used as an alternative to the imperfect subjunctive in the subordinate clause:

> **Ich fragte, ob er seinen Brief auf die Post gebracht habe** (or **hätte**).

The present subjunctive is usually preferred where the imperfect indicative and imperfect subjunctive are alike, *i.e.*, in the case of weak verbs:

> **Er fragte mich, wo ich meine Bücher kaufe.**

AUFGABEN

1. Beantworten Sie folgende Fragen:

(1) Welchen Bergen verdankt das Siebengebirge seinen Namen? (2) Wie hatte Frau London ihre Deutschlandreise gefunden? (3) Was brauchte sie jetzt, der Ansicht ihres Mannes gemäss? (4) Warum gingen Londons so oft in das Schmelztal? (5) Welche Tiere fanden die Kinder sehr zahm? (6) Warum gehen so viele Leute nach Heisterbach? (7) Was geschah mit dem Mönch, der an Gottes Wort zweifelte? (8) Was fand er, als er seine Zelle wieder aufsuchte? (9) Woher wussten die fremden Mönche, dass ein Klosterbruder mehr als tausend Jahre früher im Walde verschwunden war? (10) Wie kommt man auf den Gipfel des Drachenfels, ohne zu Fuss hinaufsteigen zu müssen? (11) Was zog Familie London immer wieder an? (12) Was war immer auf dem Strom zu sehen? (13) Was konnten Londons abends tun? (14) Wann ist der Rhein am schönsten? (15) Was sagte Frau London über die Tage, die sie in Honnef verbrachten?

2. Verwandeln Sie die direkte Rede in die indirekte:

(1) Herr London sagte: „Da wir heute abend nichts vorhaben, können wir ins Kino gehen." (2) Frau London fragte: „Ist der Kaffee teurer als bei uns?" (3) Mein Freund antwortete: „Viele Leute kommen des guten Weins wegen nach Rüdesheim." (4) Der Kellner fragte uns: „Darf ich Ihnen noch etwas bringen?" (5) Er behauptete: „Der Rhein zieht mich immer wieder an." (6) Meine Frau wollte wissen: „Was kosten die Nylonstrümpfe in diesem Geschäft?" (7) Ich muss fragen: „Wann sind Sie gestern nach Hause gekommen?" (8) Hans sagt: „Getrud bekommt mehr Taschengeld als ich," aber das stimmt nicht. (9) Er sagt (und er hat ganz recht): „Ich habe wirklich keine Zeit dafür." (10) Herr Schmidt fragte: „Will Heinrich uns heute abend besuchen?"

3. Geben Sie die richtige Form des Verbs in der gewünschten Zeitform, Indikativ oder Konjunktiv (Subjunctive):

(1) Er meinte, er (können — *Präsens*) uns nicht mehr helfen. (2) Wie lange (sich aufhalten — *Perfekt*) Sie am Rhein? (3) Er fragte, ob wir jeden Tag etwas Besonderes unternommen (haben — *Imperfekt*). (4) Sie behauptet immer, sie (kennen — *Präsens*) ihn sehr gut, aber ich (können — *Präsens*) das nicht glauben. (5) Da er nicht zu Fuss gehen wollte, (reiten — *Imperfekt*) er den Berg hinauf. (6) Ich wollte nur wissen, ob Ihr Freund auch gern (reiten — *Präsens*). (7) Er (wiederholen —

Imperfekt), dass er das nie wieder tun (werden — *Imperfekt*). (8)
Er sagte, er (haben — *Präsens*) es nie versprochen. (9) Sagen
Sie mir bitte, ob er die Antwort auch (wissen — *Präsens*). (10)
Das Handbuch sagt, dass der Rhein in der Nähe von der Lorelei
am schnellsten (fliessen — *Präsens*).

4. Ergänzen Sie:

(1) Leider sind wir nicht immer — unse— Kosten gekommen.
(2) Dank sei— unerschöpflich— Geldbeutel kann er in d— best—
Hotel— wohnen. (3) An sei— Erfolg zweifele ich gar nicht,
denn er verfügt — d— nötig— Geld. (4) Sei— Versprechen
gemäss wird er morgen abend ankommen. (5) Nur bei gut—
Wetter können wir auf d— Insel sitzen und d— interessant—
Betrieb auf d— Strom zusehen. (6) Bleiben Sie bloss — d—
Hauptstrasse weg, und dann werden Sie d— nötig— Ruhe
haben! (7) Auf diese— Weise hat sich Gottes Wort — d—
Klosterbruder bewahrheitet. (8) Als er — d— Schlaf erwachte,
suchte er d— alt— Kloster wieder auf. (9) D— Fülle d—
Ausflüg— ist es, was Honnef so befriedigend macht. (10) Es
kommt selten vor, dass Reh— ei— Mensch— — d— Hand
fressen.

5. Wiederholen Sie in direkter Rede:

Mein Freund Braun behauptete, ich könnte ihm keine Gegend
zeigen, die ihm besser gefallen würde, als die Gegend um Rüdesheim herum. Darauf antwortete ich, dass er wahrscheinlich
noch nie im Siebengebirge gewesen wäre, denn meiner Ansicht
nach wäre diese kleine Gebirgsgegend der schönste Teil des
Rheinlands. Er wüsste nicht, sagte mein Freund, ob er das glauben könnte, und fügte noch hinzu, dass ich wohl recht haben
möchte, dass er sich aber kaum vorstellen könnte, dass es irgend-
wo schöner sein könnte, als in der Nähe von Rüdesheim. Ich
fragte ihn dann, ob er das Siebengebirge überhaupt kenne. Er
antwortete, dass er es wohl kenne, aber nur von Bildern, worauf
ich antwortete, dass er gar nicht in der Lage sei, die Rüdesheimer
Gegend mit dem Siebengebirge zu vergleichen. Zum Schluss
sagte er, er sähe das nicht ein, denn er wäre der Meinung, dass
man von Bildern eine Gegend doch gut kennenlernen könnte.

6. Übersetzen Sie:

(1) Ask him whether he has received my letter. (2) They said
they had never been there before. (3) Did he tell you that he
was unable to make such a sacrifice? (4) I know he can't come,
because he says he is not feeling very well. (5) We were told
that the deer would eat out of our hands. (6) She is asking
what time the train leaves for Cologne. (7) We replied that we

brought many people with us every week. (8) The waiter says that the roast pork is all done, but he is bringing roast pork to the people at the next table. (9) As he says the lemonade is all done we shall have to drink apple-juice. (10) They wanted to know what I was doing in their room. (11) If only I knew the answer! (12) God bless you!

7. Übersetzen Sie:

When Mrs London told her husband that she was feeling very tired after her travels in Southern Germany, he replied that he knew a place where she could rest for a few days. Bad Honnef at the foot of the Seven Mountain range (das Siebengebirge) owes its popularity to its splendid position. Mr and Mrs London were able to walk in the woods every day with their two children or sit by the water's edge and watch the ships and boats on the Rhine.

An acquaintance told them that he had been at Heisterbach a few days previously and that the walk to this ruined monastery was certainly worth the trouble. He was quite right. The Londons enjoyed the walk (say 'the walk pleased') very much. When Mr London asked his children if they had ever heard the legend of the monk who doubted the word of God, they replied that they had never heard it and begged him to tell them the story.

The Londons took other very nice walks also. They will never forget the wonderful view from the top of the Drachenfels, although they found the ascent somewhat strenuous, not because it is very long but because the road is very steep.

LEKTION FÜNFZEHN

EINE NACHT AUF EINEM AALKUTTER

Am zweiten Tage nach ihrer Ankunft in Bad Honnef sassen Herr und Frau London auf einer Bank auf der Insel Grafenwerth und schauten zu, wie die beiden Kinder Kieselsteine ins Wasser warfen. Auf einmal redete sie ein Herr an, der neben ihnen auf der Bank sass. Er trug eine Seemannsmütze und sah ganz gebräunt aus, als ob er viel im Freien gewesen wäre. Im Laufe des Gesprächs sagte er, dass er Aalfischer wäre und dass der Aalkutter, der im Rhein vor Anker lag, ihm gehöre.

„Wie kommt es eigentlich, dass im Rhein so viele Aale sind?" fragte Herr London. Darauf lachte der Fischer und erklärte seinen Hörern, dass die Aale den Rhein eigentlich nur durchwandern. Im Spätsommer und im frühen Herbst ziehen nämlich grosse Aalschwärme nach dem Sargassomeer, dem wärmsten Teil des Atlantischen Ozeans. Auf dem Wege dahin durchwandern sie auch den Rhein, und dann erreicht der rheinische Aalfischfang seinen Höhepunkt.

„Wenn ich gewusst hätte, dass Sie sich dafür interessieren, hätte ich Sie gestern eingeladen, eine Nacht auf meinem Aalkutter zu verbringen," sagte der Fischer. „Heute morgen hatten wir nämlich einen sehr guten Fang, obwohl die Hauptsaison erst in zwei Wochen anfängt. Wenn Sie aber mal kommen wollen, sind Sie mir zu jeder Zeit herzlich willkommen. Nur muss ich im voraus wissen, wann Sie kommen, damit ich nicht gleichzeitig auch andere Leute einlade, denn meine Kajüte ist leider etwas eng. Allzu bequem würden Sie es bei mir nicht finden, wenn Sie sich dazu entschliessen würden, einmal bei mir zu übernachten, aber es wäre bestimmt ein ganz interessantes Erlebnis für Sie. Für die Dame wäre es aber nicht zu empfehlen."

Herr London nahm die Einladung für die nächste Nacht an und sagte, er würde auch seinen Sohn mitbringen. Inzwischen hatte sich dieser der Gruppe angeschlossen und war natürlich hoch erfreut, als er erfuhr, was man plante.

Am nächsten Abend warteten Herr London und John auf der Kribbe, und bald erschien der Fischer in einem Ruderboot, um sie nach seinem Kutter zu bringen. An Bord sahen sie eine Zeitlang zu, wie das Netz heruntergelassen wurde, und dann gingen sie alle in die kleine Kajüte hinunter. Aus einem Tank unter dem Deck nahm der Fischer aber zuerst einige noch lebende Aale heraus, tötete sie und nahm sie mit hinunter. In der Kajüte kochte er sie mit gewissen Gemüsen und Gewürzen auf Seemanns Art und setzte seinen Gästen bald ein sehr schmackhaftes Essen vor.

Nach dem Abendessen erzählte ihnen der Fischer allerlei von seinem Beruf. Unter anderem berichtete er über manchen eigenartigen Fang, den er in seinem Netz gemacht hatte. Einmal hatte er zwei englischen Offizieren der Besatzungsarmee das Leben gerettet. Die beiden machten spät abends eine Paddelbootfahrt und fuhren unversehens unmittelbar in sein Netz hinein. Durch den Lärm aufmerksam gemacht, lief der Fischer eilig auf Deck und befreite sie. Ein anderes Mal waren zwei französische Kriegsgefangene, die sich auf der Flucht befanden, in sein Netz hineingeschwommen. Ohne seine sofortige Hilfe wären sie auch ums Leben gekommen. Wer die Aalfischerei nicht kennt, wird solche Geschichten kaum für bare Münze nehmen. Zieht man aber in Betracht, dass der obere Teil des Netzes ganz dicht an die Wasserfläche gehalten wird, so kann man solche Ereignisse durchaus für möglich halten.

Den Gästen wurde die Zeit also gar nicht lang. Erst gegen zwei Uhr nachts legten sie sich zum Schlafen hin. Der kleine John war ausser sich vor Aufregung und Freude, als er erfuhr, dass er auf dem Boden schlafen müsste. Hätte man ihm ein Federbett angeboten, so hätte er es bestimmt nicht angenommen. Um sechs Uhr morgens standen sie alle wieder auf, um die Netze hereinzuziehen. Mit grossem Interesse erwarteten sie den Fang. Es waren nur achtzehn Aale, aber der Fischer war ganz zufrieden, denn die Aalsaison hatte erst eben angefangen. „Später können wir mit einem durchschnittlichen Fang von fünfzig bis sechzig Stück rechnen,‟ sagte er.

„Und was geschieht nun mit den Aalen?‟ fragte Herr London. „Sie werden gereinigt, ausgenommen und in den Räucherofen gehängt,‟ antwortete der Fischer. „Dort werden sie zwei bis drei Stunden lang geräuchert und kommen

Rothenburg ob der Tauber

Feldberg im Schwarzwald

dann als Räucheraal in die Fischhandlungen." Wer diesen
Leckerbissen kennt, wird zugeben, dass die Aalfischerei nicht
nur ein interessanter, sondern auch ein sehr nützlicher Beruf
ist.

VOKABELN

der **Aal (-e)**, eel

der **Kieselstein (-e)**, pebble
die **Mütze (-n)**, cap
der **Anker (-)**, anchor
der **Fischfang**, fishing
die **Kajüte (-n)**, cabin
die **Kribbe (-n)**, breakwater

das **Netz (-e)**, net
das **Gewürz (e)**, spice
der **Offizier (-e)**, officer
der **Tod (-e)**, death
der **Gefangene** (*adjectival noun*),
    prisoner
die **Fischerei (-en)**, fishery
der **Betracht**, regard, considera-
    tion
das **Ereignis (-nisse)**, occur-
    rence
der **Boden (¨)**, floor, ground
der **Räucherofen**, smoke oven

gebräunt, browned
erfreut, overjoyed
eigenartig, peculiar
unmittelbar, directly
französisch, French
dicht, close
zufrieden, satisfied
nützlich, useful

der **Kutter (-)**, cutter, single-
    masted vessel
der **Seemann (-leute)**, sailor
der **Fischer (-)**, fisherman
der **Schwarm (¨e)**, swarm
der **Höhepunkt (-e)**, peak (*fig.*)
die **Gruppe (-n)**, group
das **Ruderboot (-e)**, rowing
    boat
der **Tank (-e)**, tank
der **Beruf (-e)**, calling, vocation
die **Armee (-n)**, army
das **Paddelboot (-e)**, canoe
die **Flucht (-en)**, flight, escape

die **Münze (-n)**, coin
die **Wasserfläche**, surface of
    the water
die **Aufregung (-en)**, excite-
    ment
das **Federbett (-en)**, feather bed
der **Leckerbissen (-)**, delicacy

im voraus, in advance
schmackhaft, tasty
unversehens, unintentionally
aufmerksam, attentive
ober, upper, top
möglich, possible
durchschnittlich, average

Schwache Verben

anreden (*sep.*), to address
gehören, to belong
durchwandern (*insep.*), to tra-
    verse
sich interessieren (für), to be
    interested (in)

Starke Verben

*ziehen (*intrans.*), to go, to move
sich anschliessen, to join
erfahren, to learn, to discover

*schwimmen, to swim

* conjugated with **sein**

D.S.D.—H

Schwache Verben	*Starke Verben*
planen, to plan	**ausnehmen** (*sep.*), to gut
töten, to kill	
retten, to rescue, to save	
befreien, to release	
sich hinlegen, to lie down	
rechnen, to reckon, to calculate	
räuchern, to smoke (foodstuffs)	

ZUM LERNEN

Das Schiff liegt vor Anker.	The boat is lying at anchor.
Ich interessiere mich dafür.	I am interested in it.
zu jeder Zeit	at any time
Er schliesst sich der Gruppe an.	He joins the group.
Er war hoch erfreut.	He was highly delighted.
Er machte mich darauf aufmerksam.	He drew my attention to it.
Er machte mich auf einen Dampfer aufmerksam.	He drew my attention to a steamer.
Er kam ums Leben.	He lost his life.
Das nimmt er nicht für bare Münze.	He doesn't take that for gospel.
Das müssen Sie auch in Betracht ziehen.	You must take that into account too.
Er war ausser sich vor Aufregung.	He was beside himself with excitement.
Wir rechnen mit einem guten Fang.	We are counting on a good catch.

GRAMMATIK

1. *The Conditional Tense*

The conditional tense may be formed in German in either of two ways:

(*a*) By means of the imperfect subjunctive of **werden** and an infinitive:

Was würde er denken?
What would he think?

Sie würden es wahrscheinlich nicht tun.
You probably wouldn't do it.

(*b*) The imperfect subjunctive of a strong or irregular verb may itself be used to express the conditional:

Ich ginge auch.   I should go too.
Er käme bestimmt.   He would definitely come.

The imperfect subjunctive of **haben** and **sein** is almost invariably preferred to **würde . . . haben** (**sein**), especially in compound tenses:

Ich hätte das auch getan.   I should have done that too.
Er wäre mitgegangen.   He would have gone with us.

The modal auxiliaries also most frequently form their conditional tense in this way. Thus one commonly says:

Ich müsste   I should have to
Ich könnte   I should be able
Ich dürfte   I should be allowed

2. *Conditional Sentences*

Wenn er hier ist, (so) tut er das auch.
If he is here he does that too.

Wenn er hier ist, (so) wird er das auch tun.
If he is here he will do that too.

Wenn er hier wäre, $\left\{ \begin{array}{l} \textbf{(so) würde er das auch tun.} \\ \textbf{(so) täte er das auch.} \end{array} \right.$
If he were here he would do that too.

Wenn er hier gewesen wäre, (so) hätte er das auch getan.
If he had been here he would have done that too.

Note that the subjunctive is not used when the tense is present or future. If the tense in the '*if-clause*' is imperfect or pluperfect the subjunctive is used in both clauses.

One may alternatively form a conditional sentence without **wenn**. In this case it is preferable to include the word **so:**

Ist er hier, so tut er das auch.
Ist er hier, so wird er das auch tun.
Wäre er hier, so täte er das auch (so würde er das auch tun).
Wäre er hier gewesen, so hätte er das auch getan.

3. *The Construction involving ALS OB* (*as though*)

Er sieht aus, als ob er viel in der Sonne gewesen wäre.
Sie kommen mir vor, als ob Sie es noch besser tun
könnten.
Es ist genau so schlimm, als ob Sie es selber getan
hätten.

4. The pronoun **wer** is often used at the beginning of a clause
in the sense of *he who, whoever, those who*:

Wer ihn kennt, glaubt das nicht.
Those who know him don't believe that.

Wer dahin geht, kommt auf seine Kosten.
He who goes there gets his money's worth.

AUFGABEN

1. Beantworten Sie folgende Fragen:

(1) Was taten die Kinder, als Herr und Frau London auf der
Bank sassen? (2) Was trug der Herr, der sie anredete, auf
dem Kopf? (3) Wie sah er aus? (4) Was für einen Beruf
hatte er? (5) Wo ziehen die Aale im Spätsommer hin? (6)
Warum wäre für Frau London eine Nacht auf dem Aalkutter
nicht zu empfehlen? (7) Wo warteten Herr London und John
am nächsten Abend auf den Fischer? (8) Worüber berichtete
der Fischer nach dem Abendessen? (9) Welchen Leuten hatte
der Fischer einmal das Leben gerettet? (10) Warum freute sich
der kleine John, als sie sich zum Schlafen hinlegten? (11) Was
musste man am andern Morgen tun? (12) Warum war der
Fischer mit einem kleinen Fang zufrieden? (13) Was geschieht
mit den Aalen, bevor sie in die Fischhandlung kommen? (14)
Was ist Räucheraal?

2. Geben Sie die richtige Form des Verbs:

(1) Ich würde Ihnen gern helfen, wenn ich nur (können). (2)
(Haben) ich das früher gewusst, so wäre alles anders gewesen.
(3) Wir (sein) gern mitgegangen, wenn wir Zeit gehabt hätten.
(4) Wenn ich die Antwort (wissen), würde ich sie Ihnen sagen.
(5) Er würde einen besseren Eindruck machen, wenn er fleissiger
(arbeiten). (6) Wenn sie nur etwas früher (kommen), wäre
alles wieder gut. (7) Hat er das Geld, so (können) er die Rechnung selber bezahlen. (8) Wenn der Aalkutter ihm (gehören),
so werden wir wahrscheinlich an Bord gehen dürfen. (9) Wenn
er uns eingeladen (haben), so hätten wir in seiner Kajüte über-
nachtet. (10) (Kommen) er auch heute nicht, so ist das auch
nicht schlimm.

3. Ergänzen Sie:

(1) Interessieren Sie sich — deutsch— Büch—? (2) Sie dürfen — jed— Zeit kommen. (3) Ich muss d— Fischer — dies— neu— Netze aufmerksam machen. (4) Heute müssen wir leider — schlecht— Wetter rechnen. (5) Er sang und tanzte — Freude, als er sich d— übrig— Passagier— auf d— Dampfer anschloss. (6) Er hat mehr als ei— arm— Gefangen— das Leben gerettet. (7) Gross— Aalschwärm— durchwandern zu dies— Jahreszeit den Rhein. (8) Mit ei— durchschnittlich— Fang wird d— Fischer schon zufrieden sein. (9) Das Schiff, d— dort — Anker liegt, gehört dies— alt— Seemann. (10) Das Netz muss ganz dicht — d— Wasserfläche gehalten werden.

4. Verwandeln Sie die direkte Rede in die indirekte:

(1) Der Fischer sagte: „Dieser Aalkutter gehört mir." (2) Er fragte mich: „Warum trägt Ihr Freund eine Seemannsmütze?" (3) Er erklärte: „Die Aalsaison fängt erst in zwei Wochen an." (4) Wir fragten ihn: „Haben Sie die Aale auf Seemanns Art zubereitet?" (5) Er behauptete: „Ich kann solche Geschichten nicht für bare Münze nehmen." (6) Wir fragten ihn: „Nehmen Sie das alles für bare Münze?" (7) John fragte: „Warum erscheint der Aalfischer noch nicht?" (8) Er sagte: „Die Aale werden dann gereinigt, ausgenommen und in den Räucher-ofen gehängt." (9) Dann fragte uns der Fischer: „Kennen Sie diesen Leckerbissen?" (10) Der Junge sagte: „Ich freue mich, dass ich auf dem Boden schlafen muss."

5. Übersetzen Sie:

(1) What are you interested in, if I may ask? (2) You may visit us at any time. (3) I shall draw her attention to the people who are still waiting. (4) We were invited to join them. (5) He said he would write to us in advance. (6) The poor girl was beside herself with fear. (7) He has not taken the conditions in the industry into account at all. (8) He asked how all those sailors had lost their lives. (9) We are naturally counting on your help. (10) To whom does this boat belong?

6. Übersetzen Sie:

(1) If I had more time, I should certainly wait. (2) If he had been interested in it he would have said so (it). (3) What would he think if we didn't invite him? (4) He will probably be at the station, if you tell him what time we are arriving. (5) If that had not happened we could now count on a better catch. (6) If he went with you, you would not be able to have lunch at the station. (7) I should be very surprised if she came here. (8) What would you have said if he had told you that? (9) I

would gladly give him the book if he gave me the money back. (10) The fish would have tasted better if it had been smoked longer.

7. Übersetzen Sie:

Anyone who has spent a night on an eel boat has had a most interesting experience.   When Mr London heard from a friend that he had been invited to pay a visit to an eel boat, which was lying at anchor in the Rhine, he asked whether he might go with him.   His friend asked the fisherman whether he had any objection (say 'anything against it').   The latter replied that if Mr Jones was willing (ready) to sleep on the cabin floor he would be welcome any time.   Mr Jones laughed, when he heard the fisherman's answer, and said that he preferred a feather bed, but he could certainly sleep on the floor if he must.

As it was already two o'clock in the morning before they lay down to sleep and six o'clock when they rose next morning, the night was very short.   The fisherman gave them a very tasty supper.   He cooked some eels according to the sailor's recipe and his guests enjoyed them greatly (say 'they tasted very good to his guests').   After supper he entertained them with stories of peculiar catches that he had made in his net at various times.   It seldom happens that a fisherman catches human beings, but that had happened to this fisherman twice.

WIEDERHOLUNG

1. Schreiben Sie einen kurzen Aufsatz über:

(a) Der Rhein.
(b) Eine Wanderung in den Bergen.
(c) Eine Nacht im Freien.

2. Geben Sie die richtige Form des Verbs im Präsens, im Futur, im Imperfekt, im Perfekt:

(1) Wer (anstimmen) ein Lied? (2) Ich (schildern) ihnen die Ereignisse jenes Abends. (3) Das Reh (fressen) uns aus der Hand. (4) Die englischen Touristen (ausnutzen) ihre Zeit gut. (5) Bei uns (zugehen) es immer sehr lustig. (6) Er (lassen) mich immer viel zu lange warten. (7) Wir (unternehmen) dann und wann einen sehr schönen Ausflug. (8) Der Honig (anziehen) einen Bienenschwarm. (9) Warum (verurteilen) man ihn? (10) Ein kühles Getränk (erfrischen) Sie sehr. (11) Die Kinder (reiten) am liebsten auf einem Esel bis zum Gipfel des Berges. (12) Ich (schwimmen) jeden Tag im Rhein. (13) Er (sich anschliessen) der Gesellschaft an unserem Tische. (14) Wir (sich hinlegen) zum Schlafen. (15) Ich (sich interessieren) immer für solche Geschichten.

3. Ergänzen Sie durch eine passende Präposition:

(1) Im Augenblick liegt das Schiff — Anker. (2) Machen Sie ihn sofort — den Schaden aufmerksam. (3) Nehmen Sie nicht alles, was er sagt, — bare Münze. (4) Als er die Nachricht hörte, war er ausser sich — Freude. (5) Man muss allerdings auch — schlechtem Wetter rechnen. (6) Sie dürfen nicht — seinem Worte zweifeln. (7) Meinem Versprechen — habe ich Ihnen heute den Scheck geschickt. (8) Mein Freund verfügt — ganz erstaunliche Sprachkenntnisse. (9) — klarem Wetter kann man sehr weit sehen. (10) — Eichhörnchen brauchen Sie keine Angst zu haben. (11) Das Buch legt Zeugnis — seinem grossen Interesse — alte Burgen ab. (12) Der Dampfer legte — manchen schönen Städtchen an.

4. Übersetzen Sie:

(1) I often help him to write letters in English. (2) He has promised me to do his best. (3) Who taught you to swim? (4) I heard him go out of the room. (5) He has not yet learned to read. (6) Have you had a new house built? (7) Without saying a word he left the room. (8) Have you time to pay us a visit to-morrow? (9) He was very pleased to hear the news. (10) The Field Marshal bade the young officer come in.

5. (a) Verwandeln Sie die indirekte Rede in die direkte:

(1) Herr Braun sagte, er sei manchmal sehr müde. (2) Ich fragte Frau Braun, ob sie auch mit ihrem Gatten an den Rhein führe. (3) Der Kellner sagte, dass das Hauptgericht aus Schweinebraten mit Rotkohl und Kartoffeln bestehe. (4) Herr Schmidt behauptete, er könnte die Lage gar nicht beurteilen. (5) Frau Braun fragte mich, was ich von dem Film im neuen Kino hielte.

(b) Verwandeln Sie die direkte Rede in die indirekte:

(1) Ich fragte meinen Bruder: „Was hast du den ganzen Tag gemacht?" (2) Der Wirt sagte: „Ich kann den Wein wirklich empfehlen." (3) Der Parkaufseher sagte mir: „Sie dürfen das Rasengelände nicht betreten." (4) Ich fragte ihn: „Warum ist das eigentlich der Fall?" (5) Er behauptete: „Bei mir geht es sehr lustig zu."

6. Übersetzen Sie:

(1) To whom did the house belong? (2) From whom did you buy your boat? (3) For whom have you brought this new book? (4) What was he talking about? (5) Whose son is he? (6) What is the picture hanging on? (7) Of what does a coffee service consist? (8) With whom did you go to the cinema?

7. Ergänzen Sie:

(1) Geräuchert— Aale sind ei— Leckerbissen, d— man nur in gewissen Fischhandlung— findet. (2) D— klein— Eichhörnchen frass mir aus d— Hand. (3) In d— klein— Kajüte auf d— Schiff war immerhin Platz für mehrer— Leut—. (4) Am Ende dies— eng— Gasse werden Sie ei— bekannt— Gasthof finden. (5) Ih— Wunsch gemäss habe ich d— Wirt dies— Lokal— gesagt, ich sei auch Ih— Ansicht. (6) D— schön— rheinisch— Burg— legen Zeugnis von ei— interessant— Vergangenheit ab. (7) Fahren Sie mit d— Zahnradbahn hinauf, oder wollen Sie — Fuss auf d— Berg klettern? (8) Zu jed— Zeit dürfen Sie sich d— übrig— Gäst— anschliessen. (9) Der

Wirt hiess d— Kellner die Suppe an unse— Tisch bringen. (10)
Mehrer— Schleppkähn— werden von ei— Schleppdampfer
gezogen.

8. Geben Sie die richtige Form des Verbs:

(1) Was würden Sie tun, wenn er nicht mehr (kommen)? (2)
(Sehen) er mich, so sagt er kein Wort. (3) Sie würden bestimmt
krank werden, wenn Sie das (essen). (4) Mir (gefallen) es ganz
gut, wenn ich es haben dürfte. (5) (Haben) ich das gewusst, so
wäre ich sehr böse gewesen. (6) Das (geben) ich Ihnen gerne,
wenn ich es könnte. (7) Vielleicht (gelingen) es ihr, wenn sie
es nur versuchte. (8) Wenn er das Wort nur etwas deutlicher
(aussprechen), so könnte man es besser verstehen. (9) Es
(kommen) für uns nicht in Frage, weil es zu schwer wäre. (10)
Er (werden) wahrscheinlich kommen, wenn Sie ihn einladen.

9. Übersetzen Sie:

(1) I should like to see you again before the end of the month.
(2) He said he was not afraid of me. (3) When must we go on
board the steamer? (4) Sit down and make yourself comfortable.
(5) This beautiful spa offers an abundance of interesting walks.
(6) I wanted to ask him whether one could see the towers of
Cologne Cathedral in very clear weather, but he himself drew
my attention to them. (7) Thanks to his exertions we succeeded
in finding the money we had lost. (8) Again and again I have
heard that he is very interested in old churches. (9) We were
beside ourselves with excitement when we heard what had happened. (10) Have you taken the size of the catch into account?

10. Übersetzen Sie:

(1) Would you join our group if you were invited? (2) I should
have saved his life if I had seen him in the water. (3) Without
your help he would have lost his life. (4) They would attract
many more visitors if they had more pictures on the walls. (5)
Where would you go if you were allowed to make a long journey?
(6) He talks as though he knew where you had been. (7) Those
who have been to Germany before always want to go there again.
(8) Have you had your suit cleaned again already? (9) Who
taught you to pronounce these difficult words? (10) What were
you going to say before he came in?

WINZERFEST AM RHEIN

Zwei Tage vor Ende der Ferien sagte Herr London zu seiner Frau: „Weisst du was? Wir hätten eigentlich ein Winzerfest mitmachen sollen, bevor wir das Rheinland verlassen. Die meisten Städtchen feiern zwar ihre Winzerfeste erst etwas später, aber, wie ich soeben erfahren habe, findet das Unkeler Winzerfest morgen und am Sonntag statt." „Das hättest du eigentlich etwas früher sagen können," antwortete seine Frau. „Wir hatten doch vor, morgen nach Linz zu fahren." „Das macht nichts," sagte Herr London. „Wir können genau so gut am Sonntag nach Linz fahren. Gehen wir morgen lieber zum Winzerfest. Ich möchte nicht am Sonntag dahin gehen, denn es könnte nämlich sehr spät werden, bis wir nach Hause kommen, wie ich die Winzerfeste kenne, und wir müssen am andern Morgen unsere Rückreise nach England antreten."

So kam es, dass Herr und Frau London sich am Samstagabend, nachdem die Kinder schlafen gegangen waren, auf den Weg nach Unkel machten. Als sie sich der Stadtmitte näherten, hörten sie die Musik einer Blaskapelle, die auf dem kleinen Marktplatz spielte. Leute, die, nach ihrer fröhlichen Laune zu urteilen, dem Unkeler Funkeler*—so heisst der Unkeler Rotwein—schon tüchtig zugesprochen hatten, tanzten auf der Strasse. Wenn man nach der Richtung des Rheins hinschaute, sah man einen hellen Schein am Himmel. „Gehen wir erst einmal zum Rhein hinunter" sagte Herr London. „Wir wollen mal sehen, was da los ist." Als sie die enge Gasse hinuntergingen, die zum Rhein führte, sahen sie gleich die Ursache dieses hellen Lichtes. „Ach! wie schön!" rief Frau London. Über dem Rhein lag der bunte Schein bengalischer Beleuchtung. An beiden Ufern waren ausserdem Lampions angebracht, in einem kleinen Kahn einige Meter vom Ufer entfernt stand der Vater Rhein und hielt

* Sparkling Unkel wine (*cf. funkeln*—to sparkle)

eine Weinflasche in der ausgestreckten Hand.   Immer wieder stiegen Raketen in die Höhe und lösten sich in bunte Schauer von farbigen Sternchen auf.

Herr und Frau London nahmen die Schönheit dieser hell beleuchteten Szene einige Minuten lang in sich auf und gingen dann in die Stadt zurück, um sich ein Lokal auszusuchen, wo es bei Wein und Gesang sehr lustig zuging. Sämtliche Lokale waren gedrängt voll, und aus den meisten ertönte Musik.   Es hielt schwer, ein Lokal zu finden, wo überhaupt noch ein Tisch frei war, aber bald fanden sie, was sie suchten.

Zum Tanzen war auf dem kleinen Tanzboden nicht viel Platz, aber die Musik war gerade das, was sie hören wollten. Statt der vielen amerikanischen und englischen Schlager, die heutzutage in Deutschland Mode sind, spielte die Kapelle rheinische Karnevalslieder, unter anderen auch die unvergesslichen Lieder von Willi Ostermann, jenem echten Sohn der Stadt Köln, der den rheinischen Frohsinn durch seine Kompositionen verewigt hat.   Wer kennt nicht *Rheinische Lieder, schöne Frauen beim Wein, Es gibt nur einen deutschen Rhein, Rheinlandmädel, Wenn du eine Schwiegermutter hast* und dergleichen mehr?   Sein beliebtestes Lied ist vielleicht die wehmütige Äusserung der Sehnsucht nach der Heimatstadt, die er noch auf seinem Totenbett komponiert hat—ein Lied in Kölner Plattdeutsch, das jeder echte Rheinländer kennt und liebt:

> *Wenn ich su an ming Heimat denke*
> *Un sin de Dom su vür mir stoon,*
> *Möoch ich direk op Heim an schwenke,*
> *I möoch zo Foos no Kölle goon.*

(Wenn ich so an meine Heimat denke und den Dom so vor mir stehen sehe, möchte ich direkt auf die Heimat eins schwenken (d.h. heben, trinken), ich möchte zu Fuss nach Köln gehen.)

Das Winzerfest in den rheinischen Weingegenden ist ein Ausdruck der Freude und der Dankbarkeit, dass die Trauben wieder einmal gut gewachsen und geerntet worden sind. Dass bei solchen Veranlassungen der Wein in Strömen fliesst, versteht sich von selbst.   Kein Wunder auch, wenn man im Laufe des Abends Hunger verspürt.   Dafür ist auf dem Winzerfest auch gesorgt.   „Hast du eigentlich die vielen Buden gemerkt, wo heisse Würstchen verkauft werden?"

fragte Herr London. „Natürlich,“ erwiderte Frau London „und ich finde, wir sollten auch so ein Würstchen probieren.“ „Das könnten wir eigentlich tun,“ antwortete Herr London.

Draussen vor der Wurstbude standen eine Menge Leute und genossen heisse Siede- oder Bratwürstchen, die der Metzgermeister mit einem unaufhörlichen Strom von Scherzworten ihnen reichte. „Das Schwein, dem diese unvergleichlichen Würstchen zu verdanken sind, meine Herrschaften,“ sagte er, „lief heute mittag noch voller Lebensfreude herum.“ Ob das nun ein Beweis für die Frische seiner Ware sein sollte, oder ob die Bemerkung sich auf den Lehrling bezog, der die Würstchen gemacht hatte, blieb seinen Hörern unklar. Auf jeden Fall liessen sich Londons den Appetit auf die Würstchen durch Mitleid mit dem armen Tier, von dem sie stammten, keineswegs verderben.

Auch das Winzerfest war für Herrn und Frau London ein einmaliges Erlebnis. Einen solchen Abend am Rhein müsste jeder ausländische Besucher eigentlich einmal mitmachen.

VOKABELN

das **Winzerfest** (-e), wine festival

die **Laune** (-n), mood, temper

der **Himmel** (-), sky, heaven

der **Lampion** (-s), lantern

die **Rakete** (-n), rocket

das **Sternchen** (-), small star, asterisk

der **Frohsinn**, jollity, conviviality

die **Schwiegermutter** (¨), mother-in-law

die **Heimatstadt** (¨e), home town

die **Traube** (-n), bunch of grapes

die **Veranlassung** (-en), occasion

der **Metzgermeister** (-), butcher

die **Frische**, freshness

der **Lehrling** (-e), apprentice

das **Mitleid**, sympathy

der **Winzer** (-), vintager

der **Schein**, radiance, glow

die **Ursache**, (-n), cause

der **Kahn** (¨e), boat

der **Schauer** (-), shower

die **Mode** (-n), fashion

die **Komposition** (-en), composition

die **Äusserung** (-en), expression

das **Totenbett** (-en), death bed

die **Dankbarkeit**, gratitude

die **Bude** (-n), stall, booth

das **Scherzwort** (-e), jest

die **Ware** (-n), wares, commodity

der **Hörer** (-), listener

hell, light, bright
farbig, coloured
echt, genuine, true
keineswegs, not at all, by no means

Schwache Verben

sich nähern, to approach
urteilen, to judge

anbringen (*irreg. sep.*), to fix, to set up
sich auflösen (*sep.*), to dissolve

beleuchten, to illuminate
ertönen, to sound, to resound, to be heard
komponieren, to compose
ernten, to harvest, to gather
verspüren, to feel
sorgen (**für**), to look after, to arrange for

bengalisch, Bengal
unvergesslich, unforgettable
wehmütig, melancholy, sad

Starke Verben

stattfinden (*sep.*), to take place
zusprechen (*sep.*), to partake of (*literally:* to address)
*wachsen, to grow

sich beziehen (**auf**), to refer (to)
verderben, to spoil

ZUM LERNEN

Das macht nichts.	That doesn't matter.
Sie machten sich auf den Weg.	They set off.
nach seiner guten Laune zu urteilen	to judge by his good temper
Sie hatten dem Wein tüchtig zugesprochen.	They had imbibed freely of the wine.
Es hält schwer, das zu tun.	It is difficult to do that.
und dergleichen mehr	and so on, and more of the same kind
Es versteht sich von selbst.	It is obvious (self evident), it goes without saying.
Haben Sie Appetit auf die Wurst?	Have you an appetite for the sausage?

GRAMMATIK

The subjunctive imperfect and pluperfect of the modal auxiliary verbs are idiomatic in their application and need careful attention. The following examples should serve as a useful guide.

* conjugated with **sein**

(a) Imperfect Subjunctive

ich könnte   I might, I should be able
Wir könnten morgen hingehen.   We might go to-
morrow.   (We could go to-morrow.)
Es könnte vielleicht passieren.   It might perhaps happen.

ich müsste   I should have to, I ought
Er müsste es wiederholen, wenn es so schlecht wäre.
He would have to repeat it if it were so bad.
Sie müssten es eigentlich noch einmal versuchen.   You
ought really to try again.

ich sollte   I ought
Sie sollten etwas früher gehen.   You ought to go rather
earlier.

ich dürfte   I should (might) be allowed, I might
Ich dürfte das niemals tun.   I should never be allowed to
do that.
Das dürfte wahr sein.   That might be true.

ich möchte   I should like
Möchten Sie ihn jetzt sehen?   Would you like to see
him now?

ich wollte   I would, I wish
Ich wollte, ich wäre nicht hingegangen.   I wish I hadn't
gone.

(b) Pluperfect Subjunctive

Ich hätte es tun können.	I could have done it (should have been able to do it).
Ich hätte es tun müssen.	I should have had to do it. I ought to have done it.
Ich hätte es tun sollen.	I ought to have done it.
Ich hätte es tun dürfen.	I should have been allowed to do it.
Ich hätte es tun mögen.	I should have liked to do it. (*Cf.* **Ich hätte es gern getan.**)
Ich hätte es tun wollen.	I should have wanted to do it.

AUFGABEN

1. Beantworten Sie:

   (1) Welches Winzerfest wollte Herr London mit seiner Gattin besuchen? (2) Warum wollte er nicht am Sonntag dahingehen? (3) Was für eine Kapelle spielte auf dem Marktplatz? (4) Woran merkte man, dass die Leute, die auf der Strasse tanzten, dem Wein schon tüchtig zugesprochen hatten? (5) Was sah man unten am Rhein? (6) Was für Lieder wurden im Lokal gespielt und gesungen? (7) Wer war Willi Ostermann? (8) Welches rheinische Lied haben die Kölner besonders gern? (9) Warum hält man am Rhein jedes Jahr Winzerfeste? (10) Was verkaufte man draussen auf der Strasse? (11) Wodurch bewies der Metzgermeister die Frische seiner Ware? (12) Zu welcher Jahreszeit kann man ein rheinisches Winzerfest erleben?

2. Ergänzen Sie:

   (1) Nach ei— sehr lang— Reise näherte er sich endlich sei— Heimatstadt. (2) — d— viel— Scherzwort— zu urteilen, sind d— Gäst— alle bei sehr gut— Laune. (3) Jetzt hören wir d— Geräusch d— viel— Raket—, — immer wieder in d— Höhe steigen. (4) Ich hätte jetzt Appetit — ei— Brötchen mit ei— heiss— Siedewürstchen. (5) Die Kinder freuen sich sehr über d— schön— bengalisch— Beleuchtung. (6) Da d— schön— Winzerfest jetzt — Ende ist, müssen wir uns wieder — d— Weg — Hause machen. (7) Weil er d— heiss— Kaffee und d— lecker— Kuchen schon tüchtig zugesprochen hat, hat er kei— Appetit mehr. (8) Auf d— Totenbett komponierte er sei— letzt— Lied. (9) Bei welch— Veranlassung hat man d— rot— Lampion—überall angebracht? (10) — welch— Veranlassung bezog sich sei— letzt— Äusserung?

3. Geben Sie die richtige Form des Verbs im Imperfekt, im Perfekt, im Plusquamperfekt:

   (1) (Stattfinden) das Winzerfest schon vorher? (2) Das ungewöhnlich heisse Wetter (verderben) mir den Appetit. (3) Der Winzer (ernten) die Trauben etwas früher als gewöhnlich. (4) Wir (verspüren) noch gar keinen Hunger. (5) Am nächsten Tag (antreten) wir die lange Reise. (6) Wer (komponieren) all diese schönen Lieder? (7) Der Zucker (sich auflösen) sehr langsam. (8) (Sorgen) Sie auch für eine kleine Erfrischung? (9) Worauf (sich beziehen) seine ironische Bemerkung? (10) An jeder Ecke (anbringen) wir einen Lampion.

4. Übersetzen Sie:

   (1) What ought I to have said to him? (2) He would have had to give you the money, if you had asked him for it. (3) It might

rain or even snow this evening. (4) He ought to go home with you. (5) We could have harvested the remaining grapes to-day if the weather had been better. (6) What would you like to do after lunch? (7) Would you have liked to stay a little longer? (8) I wish he hadn't seen me there. (9) She would never have been allowed to live in such a (a such) house. (10) What could I say if he suddenly said he wanted to help me?

5. Übersetzen Sie:

(1) We set off for the wine festival in the next village. (2) It goes without saying that he will have to repeat the exercise. (3) It was very difficult to find a café that was still open. (4) Judging by the quality of his wares everything will be rather expensive. (5) It doesn't matter. Do what you can! (6) His question referred to your new book. (7) Approaching the town we heard music. (8) To-morrow we have to start out on the return journey. (9) Do you see the red glow in the sky? (10) Don't let the news spoil your appetite!

6. Verwandeln Sie die direkte Rede in die indirekte:

(1) Meine Schwiegermutter sagte: „Ich habe einen sehr netten Schwiegersohn." (2) Er fragte: „Wann findet das nächste Konzert statt?" (3) Der Winzer behauptete: „Das schlechte Wetter verdirbt die Trauben." (4) Er erklärte: „Zucker löst sich in kaltem Wasser nicht gut auf." (5) Meine Frau sagt: „Ich verspüre Hunger, weil ich den ganzen Tag nichts gegessen habe."

7. Setzen Sie ins Passiv:

(1) Viele Lampions beleuchten den Rhein. (2) Wer komponierte dieses neue Lied? (3) Eine gute Hausfrau verdirbt die Suppe nicht. (4) Hatte man die Trauben schon geerntet? (5) Man wird nächste Woche bei uns das Winzerfest feiern.

8. Übersetzen Sie:

If you have not yet taken part in a wine festival on the Rhine you ought to do so (it) at (bei) the next opportunity. You ought really to have gone with me to Germany last year, for we could have spent an evening together at the wine festival in Bad Honnef, where I enjoyed myself very much (omit 'much'). I know you would have liked to be there with me, but if I had spent my holidays with you I should have had to come back to England much earlier.

Perhaps you will tell me whether you will be able to go with me next year. It goes without saying that I should be very pleased if you could spend your holidays with me on the Rhine.

DEUTSCHE VOLKSLIEDER

Am Abend vor der Abfahrt nach England sassen Herr und Frau London in einem kleinen Weinlokal, wo sie bald ein interessantes Gespräch mit einem Tischnachbar anknüpften. Dieser Herr interessierte sich sehr für die Musik und erzählte ihnen vieles, was ihnen bisher unbekannt gewesen war. Unter anderem unterhielten sie sich über das deutsche Volkslied.

„Wie kommt es eigentlich, dass in einem Zeitalter wie dieses, wo die Masse der Menschen doch so viel Wert auf Jazz und auf Schlager legt, das deutsche Volkslied seine Beliebtheit nie verliert?" fragte Herr London. „Schliesslich war das Volkslied seinerzeit genau so der Ausdruck des damaligen Volkstums wie der Schlager und das Jazzlied es heute sind. Trotzdem erfreuen sich die heutigen Schlager in den meisten Fällen nur vorübergehender Beliebtheit, wogegen die Volkslieder durch lange Jahre hindurch ihre Beliebtheit behalten haben und auch heute noch immer wieder gesungen werden."

„Das ist eine höchst interessante Frage," erwiderte der andere Herr, „ und doch liegt die Erklärung meines Erachtens auf der Hand. In keinem Land ist das Volkslied so sehr wie in dem unserigen das Produkt von Kunst und Volkstum in enger Zusammenarbeit. Man braucht ja nur zu bedenken, dass der Begriff ,Volkslied' von Herder stammt, der Volkspoesie als die echte Lyrik ansah, zu der nicht nur überlieferte Lieder unbekannter Dichter sondern auch charakteristische Gedichte von grossen Dichtern aus allen Völkern und allen Zeiten gehörten. So ist seit dem achtzehnten Jahrhundert in Deutschland der Begriff ,Kunst' von dem Begriff ,Volkslied' untrennbar.

„Daher kommt es, dass fast alle grossen Komponisten der letzten zwei hundert Jahre sich mit Volksliedern befasst haben. Da hat man auf der einen Seite alte Gedichte unbekannten Ursprungs, wie diejenigen, die Brahms neu vertont

oder neu gesetzt hat.   Man denke in diesem Zusammenhang
an das schöne Wiegenlied *Guten Abend, gut' Nacht!*

> *Guten Abend, gut' Nacht*
> *Mit Rosen bedacht,*
> *Mit Näglein[1] besteckt,[2]*
> *Schlüpf unter die Deck![3]*
> *Morgen früh, wenn Gott will,*
> *Wirst du wieder geweckt,*
> *Morgen früh, wenn Gott will,*
> *Wirst du wieder geweckt.*

[1] d.h. *Nelken,* carnations.   [2] adorned.   [3] d.h. *Decke,* coverlet.

Gleich schön aber anderer Art ist das Lied *Mein Mädel hat
einen Rosenmund,* das Brahms auch gesetzt hat:

> *Mein Mädel hat einen Rosenmund*
> *Und wer ihn küsst, der wird gesund.*
> *O du, o du, o du!*
> *O du schwarzbraunes Mägdelein,*
> *Du la-la-la-la-la!   Du la-la-la-la-la!*
> *Du lässt mir keine Ruh!*

„Gedichte von berühmten Dichtern haben auch den
geeigneten Satz in alten Volksweisen gefunden.   Da hat man
als Beispiel *Ich hatt' einen Kameraden* von Uhland.

> *Ich hatt' einen Kameraden,*
> *Einen bessern findst du nit.*
> *Die Trommel[1] schlug zum Streite,*
> *Er ging an meiner Seite*
> *In gleichem Schritt und Tritt,[2]*
> *In gleichem Schritt und Tritt.*

[1] drum.   [2] step.

Oder vom selben Dichter *Der Wirtin Töchterlein*:

> *Es zogen drei Burschen[1] wohl über den Rhein,*
> *Bei einer Frau Wirtin, da kehrten sie ein,*
> *Bei einer Frau Wirtin, da kehrten sie ein.*

[1] lads, youths.

Wilhelm Müllers *Im Krug zum grünen Kranze* und Johann Vik-
tor von Scheffels *Im schwarzen Walfisch zu Askalon* sind auch
Volksweisen angepasst worden.   Ein ganz hervorragendes
Volkslied dieser Art ist Schillers *Lied an die Freude.*

„Wir haben aber auch eine andere Art künstlerisches Volkslied. Das sind Fälle, wo grosse Komponisten Gedichte von bekannten Dichtern vertont haben. Manche Lieder dieser Art sind im Laufe der Zeit so beliebt geworden, dass sie in den Schatz der Volkslieder aufgenommen worden sind. So hat Mozart etwa das Gedicht von Ludwig Hölty *Der alte Landmann an seinen Sohn* zum bekannten und beliebten Volkslied gemacht.

> *Üb[1] immer Treu[2] und Redlichkeit[3]*
> *Bis an dein kühles Grab[4]*
> *Und weiche[5] keinen Finger breit*
> *Von Gottes Wegen ab.*

[1] *übe*, practise. [2] *Treue*. [3] integrity. [4] grave. [5] deviate.

Ähnliches hat Schubert mit Wilhelm Müllers *Am Brunnen vor dem Tore*, Glück* mit Eichendorffs *In einem kühlen Grunde* und Heinrich Werner mit Goethes *Heidenröslein* gemacht. Wer kennt ausserdem nicht Friedrich Silchers Vertonung von Heines *Lorelei*? Wenn man diesen engen Zusammenhang von Kunst und Volkstum im deutschen Liede betrachtet, so ist es manchmal schwer zu sagen, wo das Kunstlied aufhört und das Volkslied beginnt."

„Was mir bei den deutschen Volksliedern am meisten imponiert," sagte Herr London, „ist die Mannigfaltigkeit ihrer Themen."

„Da haben Sie auch recht," sagte sein Tischnachbar. „Das ist übrigens auch wieder ein Grund für ihre Beliebtheit. Man hat für jede Veranlassung und jede Stimmung ein Lied. Sehr beliebt sind zum Beispiel die Wanderlieder, wie etwa *Das Wandern ist des Müllers Lust.* In diesem Lied versucht der junge Lehrling seine Wanderlust dadurch zu rechtfertigen, dass er sich der Reihe nach auf das Wasser, die Räder und sogar die schweren Steine beruft, die alle vom Stillstehen nichts hören wollen. Warum soll er also nicht auch wandern?

> *O Wandern, Wandern, meine Lust*
> *O Wandern, Wandern, meine Lust,*
> *O Wandern!*
> *Herr Meister und Frau Meisterin,*
> *Lasst mich in Frieden weiterziehn,*
> *Lasst mich in Frieden weiterziehn*
> *Und wandern!*

* Schwäbischer Pfarrer, nicht mit Gluck zu verwechseln

Wem Gott will rechte Gunst erweisen, den schickt er in die weite Welt heisst es in einem anderen beliebten Wanderlied.

„Soldatenlieder, wie das oft gesungene Lied *Wenn die Soldaten durch die Stadt marschieren*; Studentenlieder, wie der bekannte Bierwalzer *Bier her, Bier her, oder ich fall' um* oder Scheffels *Als die Römer frech geworden*; Abschiedslieder, wie *Morgen muss ich fort von hier*; Abendlieder, wie *Goldne Abendsonne, wie bist du so schön*—sie befinden sich alle im deutschen Volksliederschatz."

„Ja, und dabei scheinen alle diese Lieder eine wirkliche Beziehung zum Leben zu haben," antwortete Frau London. „Wir waren, zum Beispiel, heute nachmittag in Linz. Da legte ein Köln-Düsseldorfer Dampfer an, der offenbar für einen grossen Betriebsausflug gemietet worden war. Als die Betriebsarbeiter alle an Bord des Dampfers gegangen waren und das Schiff wieder abfuhr, spielte die Schiffskapelle *Muss i denn zum Städtele 'naus*. Das fand ich so eindrucksvoll."

„Ja, unsere Volkslieder kommen einem bei gewissen Veranlassungen vor, als ob sie geradezu dafür komponiert worden wären," sagte der deutsche Herr. „Von den Weihnachtsliedern wie *Stille Nacht, heilige Nacht, Alle Jahre wieder, O Tannenbaum* und *O du fröhliche* kann man das wohl auch behaupten."

„Es wundert mich, dass Sie von den zahlreichen Liebesliedern unter den Volksliedern noch gar nichts gesagt haben," sagte Herr London. „Richtig!" sagte der andere. „Man darf sie auch nicht vergessen. Das Beste haben wir eigentlich bis zuletzt aufbewahrt. Aber auch hier zeichnen sich die deutschen Volkslieder durch ihre Verschiedenheit aus. Man hat traurige und frohe Liebeslieder. Da hat man Lieder, die von einer unglücklichen Liebe erzählen, wie das badische *Horch, was kommt von draussen rein*, und auch diejenigen, die von einer glücklichen, ewig dauernden Liebe sprechen, wie *Gold und Silber*, in dem das Gold, das vom Lockenköpfchen des Liebchens niederrollt, höher als alles Gold des Himmels und der Erde geschätzt wird. Oder man hat die Lieder, die vom Streit der Liebenden erzählen, die aber, wie die Geschichte von *Hans und Liese*, ein fröhliches Ende nehmen.

> *Und der Hans schleicht[1] umher,*
> *Trübe Augen, blasse[2] Wangen,*
> *Und das Herz ihm befangen[3]*
> *Und das Herz ihm so schwer;*
> *Und die Liese vor der Türe,*

Rotes Mieder,[4] *goldne Schnüre,*[5]
Schaut hinauf nach dem Himmel
Und sieht den Hans nicht an.

[1] creeps, slinks.   [2] pale.   [3] full.   [4] bodice.   [5] lace.

Der trübe Himmel klärt sich aber bald auf, Liese ‚ziert sich noch ein Weilchen', aber ‚dann küsst sie den Hans, und es ist alles wieder gut'."

Wie sie sich so unterhielten, kam gerade ein Sänger mit Laute in das Lokal herein. „Darf ich fragen, welches Ihr Lieblingslied ist?" fragte er. „Meines ist *Drunten im Unterland,* das schwäbische Volkslied," antwortete Frau London. „Und welches ist das Ihrige?" fragte der Sänger, indem er sich an Herrn London wandte. „*Ein Heller und ein Batzen,*" antwortete Herr London. „Schön! Wenn die Herrschaften erlauben, so will ich beide singen," sagte der Sänger. Und so schloss der letzte Abend dieses unvergleichlichen Ferienaufenthaltes in Deutschland mit den beiden Liedern ab, die Herr und Frau London am liebsten hatten.

EIN HELLER UND EIN BATZEN

Ein Heller und ein Batzen,
Sie waren beide mein, ja mein,
Der Heller ward[1] *zu Wasser*
Der Batzen ward zu Wein, ja Wein,
Der Heller ward zu Wasser,
Der Batzen ward zu Wein.

Hei di hei do heida
Hei di hei do heida
Hei di hei do heida.

Die Wirtsleut' und die Mädels,
Die rufen beide Weh o Weh,
Die Wirtsleut', wenn ich komme,
Die Mädels, wenn ich geh, ja geh,
Die Wirtsleut', wenn ich komme,
Die Mädels, wenn ich geh.

Hei di hei do usw.

[1] Obsolete form for *wurde* still current in 18th century

DRUNTEN IM UNTERLAND

Drunten im Unterland,
Da ist's halt fein.
Schlehen im Oberland,
Trauben im Unterland,
Drunten im Unterland
Möcht' ich wohl sein.

VOKABELN

die **Abfahrt (-en)**, departure

das **Volkslied (-er)**, folk song
die **Masse (-n)**, mass

das **Produkt (-e)**, product

die **Volkspoesie**, folk poetry
der **Komponist** (**-en, -en**), composer
der **Zusammenhang (¨e)**, connection
der **Satz (¨e)**, setting, arrangement
die **Volksweise (-n)**, folk tune

die **Mannigfaltigkeit**, variety

der **Stein (-e)**, stone
der **Walzer (-)**, waltz

der **Betrieb (-e)**, business concern
das **Weihnachtslied** (**-er**), Christmas Carol
die **Liebe**, love
das **Silber**, silver

das **Liebchen** (**-**), beloved, sweetheart
der **Streit**, strife, quarrel

das **Weilchen**, little while

der **Batzen (-)**, small coin, (*obsolete*)

der **Nachbar** (**-s,** *or* **-n, -n**), neighbour
das **Zeitalter (-)**, age, era
das **Volkstum**, national *or* popular feeling *or* culture
die **Zusammenarbeit**, co-operation
die **Lyrik**, lyric, lyricism
der **Ursprung (¨e)**, origin

das **Wiegenlied (-er)**, lullaby, cradle song
der **Walfisch (-e)**, whale

der **Schatz (¨e)**, treasury, treasure
die **Stimmung (-en)**, mood
das **Rad (¨er)**, wheel
die **Gunst** (*no plural*), favour
der **Abschied** (**-e**), farewell, parting
Weihnachten, Christmas

die **Verschiedenheit** (**-en**), variety
das **Gold**, gold
das **Lockenköpfchen (-)**, curly head
die **Erde**, earth

der **Liebende** (*adjectival noun*), lover
der **Heller (-)**, small coin, farthing (*now obsolete*)

damalig, of that time

untrennbar, inseparable
traurig, sad
badisch, of Baden
schwäbisch, Swabian

überliefert, traditional, handed down
zahlreich, numerous
unglücklich, unhappy
trübe, dull, dismal
drunten, down, down there

Schwache Verben

anknüpfen (*sep.*), to begin (conversation)
sich erfreuen (+ *Genitive*), to enjoy
bedenken (*irreg.*), to bear in mind
sich befassen (**mit**), to occupy oneself
setzen, to arrange (music)
anpassen (*sep.*), to adapt
rechtfertigen, to justify
mieten, to hire, to rent
aufbewahren (*sep.*), to keep, to save
sich auszeichnen (*sep.*), to distinguish oneself
horchen, to listen
*niederrollen (*sep.*), to roll down
schätzen, to esteem, to estimate, to value
sich aufklären (*sep.*), to clear, to clear up
sich zieren, to be coy, to adorn oneself
küssen, to kiss
sich wenden (**an**) (*irreg.*), to turn (to)
erlauben (*Dative*), to allow

Starke Verben

behalten, to retain

aufnehmen (*sep.*), to adopt, to take in, to include
sich berufen (**auf**), to refer to, to make use of
abschliessen (*sep. intrans.*), to conclude, to end

ZUM LERNEN

Er knüpft ein Gespräch an. He enters into conversation.
Das Lied erfreut sich grosser Beliebtheit. The song enjoys great popularity.
Die Erklärung liegt auf der Hand. The explanation is obvious.
meines Erachtens in my opinion

* conjugated with **sein**

GRAMMATIK

1. *Possessive Pronouns*

   (*a*) The forms most commonly used in German are:

	Masc.	*Fem.*	*Neut.*	*Plural*
Nom:	**meiner**	**meine**	**meines**	**meine**
Acc:	**meinen**	**meine**	**meines**	**meine**
Gen:	**meines**	**meiner**	**meines**	**meiner**
Dat:	**meinem**	**meiner**	**meinem**	**meinen**

The remaining persons **dein, sein, ihr, sein, unser, euer, Ihr, ihr** are declined in the same way.

   (*b*) Alternative forms sometimes used are:

der, die, das meinige	**der, die, das unsrige**
der, die, das deinige	**der, die, das eurige**
der, die, das seinige	**der, die, das Ihrige**
der, die, das ihrige	**der, die, das ihrige**
der, die, das seinige	

These forms are declined like adjectives preceded by the definite article and have the same gender and number as the noun for which they stand.

Thus one may say either:

Wenn Sie keinen Bleistift haben, dürfen Sie *meinen* benutzen.

or:

Wenn Sie keinen Bleistift haben, dürfen Sie *den meinigen* benutzen.

2. *Demonstrative Pronouns*

   (*a*) The adjective forms **dieser, diese, dieses** and **jener, jene, jenes** may be used as pronouns. They are declined in the normal way. The forms **jener, jene, jenes** are, however, used only to denote contrast with **dieser, diese, dieses.** Otherwise the form **dieser**, etc. is used in German where we in English say *that, that one.* (In such instances the definite article form **der, die, das,** pronounced emphatically, is often used instead of **dieser, diese, dieses.**)

e.g. **Heute habe ich ihren neuen Freund kennengelernt. So!   Wie finden Sie nun diesen (den)?**

(*b*) The forms **derjenige, diejenige, dasjenige, die-jenigen** are used to express *the one, he, that, those* before a relative pronoun.

e.g. **Derjenige von Ihnen, der das tun kann, darf jetzt beginnen.**

Ich versuche es mit *demjenigen*, **den Sie vorge-schlagen haben.**

AUFGABEN

1. Beantworten Sie folgende Fragen:

(1) Wo sassen Herr und Frau London am Abend vor der Abfahrt nach England? (2) Wofür interessierte sich ihr Tischnachbar? (3) Welche Lieder erfreuen sich nur vorübergehender Beliebt-heit? (4) Was kann man dagegen von dem Volkslied be-haupten? (5) Wie kommt das? (6) Was für Gedichte haben grosse Komponisten vertont? (7) Was ist bei den deutschen Volksliedern besonders eindrucksvoll? (8) Welche verschie-denen Themen werden in Volksliedern behandelt? (9) Wer kam in das Lokal herein? (10) Was trug er bei sich? (11) Was wollte er tun? (12) Welche Lieder wollten Herr und Frau London hören?

2. Geben Sie die richtige Form des Verbs im Präsens, im Imperfekt, im Perfekt:

(1) Er (sich setzen) an den Tisch und (anknüpfen) ein interes-santes Gespräch mit seinem Tischnachbar. (2) Grosse Kom-ponisten (vertonen) Gedichte von Goethe. (3) Wir (sich berufen) auf sein Versprechen. (4) Der Himmel (sich auf-klären) jetzt. (5) Von allem, was ich sagte, (behalten) der Junge nichts. (6) Weil ich wissen (wollen), wo der Wein her-kommt, (sich wenden) ich an den Wirt. (7) Das (bedenken) Sie natürlich gar nicht. (8) Alte Zeitungen (aufbewahren) ich manchmal sehr sorgfältig, wenn sie etwas Interessantes (enthal-ten). (9) Das Wiegenlied, das Sie immer so gern (singen), (sich erfreuen) grosser Beliebtheit. (10) Wann (aufnehmen) man dieses Wort in den deutschen Wortschatz?

3. Übersetzen Sie:

(1) His book is more interesting than mine, but not so interesting as that one. (2) As your brother cannot come I shall invite hers. (3) I have lost my pen. Please lend me yours. (4) I don't like this folk song. I prefer the one that we sang yesterday. (5) He still has many stamps, but he has lost those you gave him. (6) These cigars are much better than those. (7) The orchestra

in the new café is not to be compared (to compare) with this one. (8) I like to smoke cigarettes, but I cannot smoke yours. (9) Our new house is situated opposite theirs. (10) You ought to see this film instead of the one he recommended to you. (11) How does it come about that you know so many songs but have never heard of that one? (12) Why don't your children and ours play together more often?

4. Setzen Sie ins Passiv:

(1) Das neue Lied wird ein bekannter Komponist komponieren. (2) Man hat uns nicht erlaubt, so oft ins Kino zu gehen. (3) Wer hat dieses grosse Haus gemietet? (4) Ihre Sachen werde ich bis zu Ihrer Rückkehr aufbewahren. (5) Wir schätzten ihn alle sehr. (6) Den Text dieses Liedes hatte ich selber einer alten Volksweise angepasst. (7) Weil man das Lied in das heutige Programm nicht aufnahm, gehe ich nicht ins Konzert. (8) Da Schubert diese Gedichte vertont hatte, wurden sie allgemein bekannt. (9) Mein Tischnachbar wird mir bis Mitternacht viel Neues erzählt haben. (10) Das kann man unmöglich rechtfertigen.

5. Ergänzen Sie:

(1) In kei— ander— Zeitalter hat man so viel Wert — solch— schrecklich— Schlager gelegt, wie in dies—. (2) D— jenig— unter deinen Freundinnen, die sich d— grösst— Beliebtheit erfreut, darfst du mitbringen. (3) Der Grund für sei— gross— Enttäuschung liegt — d— Hand. (4) Deutsch Volkslied— zeichnen sich durch ihr— Mannigfaltigkeit aus. (5) Dieses Lied erzählt auf sehr dramatisch— Weise von d— Streit d— Liebenden. (6) Trotz d— gross— Verschiedenheit sei— Lieder sind sie nicht so eindrucksvoll wie unse—. (7) Viel— gross— Komponist— haben sich — d— deutsch— Volkslied befasst. (8) Wir müssen versuchen, uns d— neu— Verhältnis— anzupassen. (9) Wenn Sie sich — mei— Freund Werner wenden, müssen Sie sich — unse— Bekanntschaft berufen. (10) Der Meister erlaubt sei— jung— Lehrling, durch d— übrig— Städt— d— Land— zu wandern.

6. Verwandeln Sie die direkte Rede in die indirekte:

(1) Mein Tischnachbar sagte: „Die Erklärung liegt meines Erachtens auf der Hand." (2) Ich fragte meinen Tischnachbar: „Wie kommt es, dass man heutzutage so viel Wert auf Jazz legt?" (3) Meine Frau sagte: „Unser Freund singt sehr gern Volkslieder." (4) Ich fragte den anderen Herrn: „Mieten Sie diese Wohnung, oder gehört sie Ihnen?" (5) Ich teilte ihm mit: „Ich schätze Jazzmusik überhaupt nicht." (6) Leider sagt er: „Ich behalte den Text vieler Lieder nicht." (7) Der Komponist

behauptete: „Ich kann dieses Gedicht nicht vertonen." (8) Er fragte: „Wann wurde dieses Wort in den deutschen Wortschatz aufgenommen?"

7. Übersetzen Sie:

All those who have been in Germany have learned to love German folk songs. I was talking to a German yesterday, and he said that although our folk songs were undoubtedly very beautiful, theirs were still more beautiful. I am always impressed by the great variety of German folk songs. The Germans seem to have a song for every occasion.

Some of them are poems which have been written by well-known poets and set to music by famous composers. Other songs, like the one we were singing yesterday evening, are simple folk tunes, to which poems by famous or sometimes quite unknown poets have been adapted. Very few of the popular songs of to-day will retain their popularity as long as the folk songs, many of which have existed for hundreds of years.

WEITERE REISEEINDRÜCKE

London, den 1. Mai 1954.

Lieber Herr Deutsch!

Da unsere schönen Ferien in Deutschland zu Ende sind, und der graue Alltag mit seinen Sorgen und Freuden wieder von uns Besitz ergriffen hat, möchte ich Ihnen noch nachträglich von Herzen für die Anregung danken, die zu unserer Deutschlandreise geführt hat. Ausserdem will ich die Gelegenheit nicht versäumen, Ihnen etwas über unsere Reiseeindrücke zu erzählen.

Ja! Wo soll man da bloss anfangen? Von den wirtschaftlichen und politischen Verhältnissen in Deutschland wissen Sie mehr als ich. In dieser Beziehung möchte ich nur betonen, dass der wirtschaftliche Aufschwung in Westdeutschland wirklich erstaunlich ist. Dieser Brief soll aber weder ein politischer noch ein wirtschaftlicher Bericht sein. Ich will Ihnen schlechthin einige der von unseren Reisen in uns hinterlassenen Eindrücke von Land und Leuten schildern.

Zunächst einmal das Land! Das schöne Deutschland! Kein Wunder, dass es so heisst. Überall, wo wir waren, ob im romantischen Rheintal, oder am wunderschönen Neckar, oder an den bayrischen Seen, wurde uns ein landschaftlich und architektonisch nicht zu übertreffender Genuss zuteil.

Gestern abend unterhielt ich mich mit meiner Frau über unsere Erfahrungen, wobei ich sie fragte, was ihr am meisten imponiert hätte. Sie dachte lange Zeit nach, und dann sagte sie, die spontan freundliche Aufnahme, die wir bei allen Menschen fanden, mit denen wir zusammenkamen, hätte wohl am meisten Eindruck auf sie gemacht. Darin muss ich ihr auch recht geben. Für die uns immer wieder gebotene Gastfreundschaft werde ich ewig dankbar sein, vor allen Dingen, weil uns dadurch Gelegenheit gegeben wurde, das Familienleben in Deutschland gründlich kennenzulernen.

Die Sittenverschiedenheit hat uns zwar manchmal zu denken gegeben. Wer den guten Ton eines anderen Landes, zum Beispiel, nicht kennt, kann sich allzuleicht blamieren. Es dauerte aber, Gott sei Dank, nicht lange, bis ich meiner Frau beigebracht hatte, dass es nicht unhöflich von mir war, immer an ihrer linken Seite zu gehen, auch wenn die Folge war, dass sie neben dem Fahrdamm gehen musste. Wir brauchten auch nur einige Tage, um zu erfassen, dass man bei Tisch die Kartoffeln nicht mit dem Messer schneiden, sondern nur mit der Gabel zerteilen darf.

Über eins hat meine Frau sich sehr gewundert. In England sagt man allgemein, dass die Deutschen keinen Sinn für Humor haben. Unserer Erfahrung nach zu urteilen, stimmt das aber bei weitem nicht. Wir lachten noch heute über einen ganz köstlichen Witz, den ein deutscher Bekannter uns neulich erzählte. Da sass ein kleiner Junge mit seiner Mutter in der Strassenbahn und schaute sehr interessiert einen alten Herrn an, der so dünne, durchsichtige Ohrläppchen hatte, dass die Sonne durch sie hindurchschien. Seiner Mutter war es sehr peinlich, als der Junge plötzlich sagte: „Mutti, guck' dem Mann seine Ohren an! Da scheint die Sonne so schön durch!" Als sie wieder zu Hause waren, schärfte sie ihrem kleinen Peter ein, dass er solche Bemerkungen nicht machen dürfe. Sollte ihm jemals wieder etwas Derartiges in die Augen fallen, so müsste er wenigstens warten, bis er nach Hause käme, bevor er seine Meinung dazu äusserte. Am nächsten Tag sass Peter wieder mit seiner Mutter in der Elektrischen. Da stieg ein Herr mit einer dicken, blauen Nase herein, und zwar von der Sorte, die in Deutschland zu der familiären Bezeichnung ,Gurke' Anlass gibt. Verwundert schaute Peter das sowohl durch seine Grösse als auch durch seine Farbe hervorragende Riechorgan an, besann sich jedoch der ihm von seiner Mutter erteilten Mahnung und sagte daher: „Nicht wahr, Mutti, von dem Mann seiner Nase sprechen wir nachher!"

Man könnte noch viele solche Beweise für den Humor des Durchschnittsdeutschen anführen. Man braucht, zum Beispiel, nur an die Unmenge von Geschichten über die beiden Kölner Strolche Tünnes und Schäl zu denken. Hier soll ein Beispiel genügen. Vielleicht kennen Sie den Witz noch nicht. Tünnes und Schäl gehen eines Tages durch Köln spazieren und kommen an dem Dom vorbei. Aus lauter

Langeweile geht Tünnes in den Dom, wo er als bekannter Charakter gleich von einem Priester in Empfang genommen wird. Es bleibt ihm nichts übrig, als zur Beichte zu gehen. Nachdem er so manche kleine Sünde eingestanden hat, fragt ihn der Priester, ob er nicht in letzter Zeit gewisse, ziemlich verrufene Lokale besucht hat. „Warst du, zum Beispiel, nicht in *Dem Goldenen Löwen* in der Austrasse, mein Sohn?" fragte er. Tünnes entgegnete mit gutem Gewissen, dass er nie davon gehört hätte. Die gleiche Antwort gab er auch auf zwei weitere Fragen dieser Art. Als die Beichte nun zu Ende war, ging er wieder auf die Strasse hinaus, wo sein Kamerad Schäl auf ihn wartete. „Na, Tünnes, wie war es?" fragte dieser. „Ach, das war weiter nicht schlimm," sagte Schäl. „Ich habe gebeichtet, weisst du. Aber du, hör' mal, drei wunderbare Adressen habe ich gekriegt."

Dass es uns in Deutschland ganz ausgezeichnet gefallen hat, geht hoffentlich aus diesem kurzen Brief hervor. Ich hoffe, Sie in nächster Zeit einmal besuchen zu können. Für alle Hilfe, die Sie uns damals bei unseren Reisevorbereitungen geleistet haben, nehmen Sie meinen aufrichtigen Dank nochmals entgegen! Es grüsst Sie recht herzlich

Ihr

JOHN LONDON

VOKABELN

der **Besitz (-e),** possession

die **Anregung (-en),** inspiration

der **Genuss (¨e),** enjoyment

die **Gastfreundschaft,** hospitality

die **Folge (-n),** consequence

die **Gabel (-n),** fork

der **Humor,** humour

das **Ohrläppchen (-),** ear lobe

die **Gurke (-n),** cucumber, nose (*vulgar*)

die **Farbe (-n),** colour

die **Mahnung (-en),** admonition, warning

das **Herz (-ens, Herzen),** heart

der **Aufschwung (¨e),** boom

die **Aufnahme (-n),** reception

die **Sitte (-n),** custom

das **Messer (-),** knife

der **Sinn (-e),** sense

der **Witz (-e),** joke

die **Bezeichnung (-en),** description, term, name

der **Anlass (¨e),** cause, reason

das **Riechorgan (-e),** organ of smell

die **Unmenge (-n),** huge number

der **Strolch** (-e), scamp, rascal
die **Beichte** (-n), confession
das **Gewissen** (-), conscience

der **Priester** (-), priest
die **Sünde** (-n), sin

nachträglich, subsequently, retrospectively
spontan, spontaneously
köstlich, delightful
dünn, thin
durchsichtig, transparent
jemals, ever
lauter, pure, nothing but
aufrichtig, genuine, honest

schlechthin, simply, only

gründlich, thoroughly
neulich, recently, the other day
ewig, eternally
peinlich, embarrassing
familiär, vulgar
verrufen, of bad reputation

Schwache Verben

versäumen, to miss, to neglect
betonen, to emphasise

sich blamieren, to disgrace oneself, to commit a faux pas
beibringen (*irreg. sep.*), to teach, to inculcate
erfassen, to grasp (mentally)
zerteilen, to divide up

einschärfen (*sep.*), to impress upon
erteilen, to administer (rebuke, instruction, etc.)
anführen (*sep.*), to quote
beichten, to confess
entgegnen, to reply

Starke Verben

ergreifen, to seize
hinterlassen (*insep.*), to leave, to bequeath
übertreffen (*insep.*), to surpass

sich besinnen, to bear in mind

eingestehen (*sep.*), to admit
*****hervorgehen** (*sep.*), to emerge, to become obvious
entgegennehmen (*sep.*), to accept

ZUM LERNEN

Der graue Alltag hat von uns Besitz ergriffen.
Dull every-day routine has claimed us. (literally 'has taken possession of us')

Mir wird etwas zuteil.
I am granted (allowed to participate in) something.

Sie dachte lange Zeit nach.
She pondered a long time.

Darin muss ich ihm recht geben.
I must admit that he is right there.

vor allen Dingen
above all, especially

Es hat mir zu denken gegeben.
It made me think.

* conjugated with **sein**

Er hat keinen Sinn für Humor.	He has no sense of humour.
Es fällt ihm in die Augen.	It attracts his attention, comes to his notice.
Ich besann mich seiner Mahnung.	I remembered his warning.
Das ist ein Beweis für . . .	That is proof of . . .
Hier soll ein Beispiel genügen.	Let one example suffice here.
Er wird von ihm in Empfang genommen.	He is received by him.
Es bleibt ihm nichts übrig, als das zu tun.	He has no alternative but to do that.
aus lauter Langeweile	from sheer boredom
in letzter Zeit	in recent times, recently
mit gutem Gewissen	with a clear conscience
in nächster Zeit	very soon

GRAMMATIK

The Adjectival Adjunct

1. A common construction in German, but one quite foreign to English and consequently very troublesome to English students, is a long adjectival phrase used attributively —*i.e.*, standing in front of a noun—and ending usually in a present or past participle which is declined as an adjective, though retaining its verbal force.

e.g. **die auf den Bäumen singenden kleinen Vögel**
> the little birds singing on the trees (or 'which are singing on the trees')

die vielen von dem Baum gefallenen Blätter
> the many leaves fallen (which have fallen) from the trees

Similar examples used in the reading passage of this lesson are:

einige der von unseren Reisen in uns hinterlassenen Eindrücke
> a few of the impressions left on us by our travels

die uns immer wieder gebotene Gastfreundschaft
the hospitality offered us again and again

das sowohl durch seine Grösse als auch durch seine Farbe hervorragende Riechorgan
the organ of smell (the nasal organ) prominent both by its size and its colour

Er besann sich der ihm von seiner Mutter erteilten Mahnung.
He remembered the warning given him by his mother.

At this stage students would be well advised to make very sparing use of this construction. Greater experience of German style will lead to discrimination in its use. At the same time it is a very valuable exercise to practise forming adjectival adjuncts, as such practice develops facility in dealing with the construction as it arises when the student is reading German.

2. Note especially the construction involving a German present participle used attributively and expressing the English passive infinitive.

> *e.g.* **ein nie zu vergessender Anblick**
> a sight never to be forgotten

A similar example is included in the reading passage of this lesson:

ein landschaftlich und architektonisch nicht zu übertreffender Genuss
a delight (literally 'enjoyment') which is scenically and architecturally (*i.e.* as regards architecture and scenery) not to be surpassed

AUFGABEN

1. Beantworten Sie folgende Fragen:

(1) Was hat von Familie London wieder Besitz ergriffen? (2) Warum schreibt Herr London an Herrn Deutsch? (3) Was kam Herrn London während seines Deutschlandaufenthaltes wirklich erstaunlich vor? (4) Worüber hat er sich neulich mit seiner Gattin unterhalten? (5) Was hat Frau London am meisten imponiert? (6) Wofür wird Herr London ewig dankbar sein? (7) Was haben Londons gründlich kennengelernt? (8) Was hat ihnen manchmal zu denken gegeben? (9) Wann kann man sich im fremden Lande leicht blamieren? (10) An welcher Seite muss der

Herr immer gehen, wenn er in Deutschland eine Dame begleitet? (11) Was darf man bei Tisch nie tun? (12) Erzählen Sie den Witz von dem kleinen Jungen in der Strassenbahn! (13) Erzählen Sie irgendeinen anderen Witz über einen kleinen Jungen! (14) Wer sind Tünnes und Schäl? (15) Erzählen Sie den Witz von Tünnes in dem Kölner Dom! (16) Was geht aus dem Brief von Herrn London deutlich hervor?

2. Wiederholen Sie folgende Sätze, indem Sie den Relativsatz durch ein adjektivisches Adjunktum ersetzen.

> (*Beispiel:* Ihm gefällt das Gedicht, das sein Freund vorliest.
>
> Ihm gefällt das von seinem Freund vorgelesene Gedicht.)

(1) Das Kind, das aus dem Zug gefallen ist, ist noch immer sehr krank. (2) Das Auto, das schnell um die Ecke biegt, fährt gegen die Mauer. (3) Ich finde den Hund, der die ganze Zeit bellt, sehr lästig. (4) Was hat der Beamte den Leuten gesagt, die mit dem letzten Zug angekommen sind? (5) Der Junge, der mit dem Hund spielte, wurde gebissen. (6) Die Farbe des Schnees, der noch immer auf der Erde liegt, ist nicht mehr ganz weiss. (7) Kennen Sie die Eltern der Kinder, die draussen auf der Strasse spielen? (8) Über seine Antwort, die einfach nicht zu erklären war, habe ich mich sehr gewundert. (9) Die Geldsumme, die von ihm zu erwarten ist, wird wohl morgen da sein. (10) Unser Erlebnis, welches wirklich nicht zu wiederholen ist, hat uns sehr zu denken gegeben.

3. Ergänzen Sie:

(1) Über d— wirtschaftlich— Aufschwung in Westdeutschland habe ich mich sehr gewundert. (2) Was er von d— gut— Ton in Deutschland sagt, stimmt bei weit— nicht. (3) Bei all— Leut— haben wir ei— sehr freundlich— Aufnahme gefunden. (4) Was hat zu dies— familiär— Bezeichnung Anlass gegeben? (5) Ich habe mei— klein— Sohn eingeschärft, dass er sei— Meinung nicht immer in solch— Wort— äussern darf. (6) Das war wahrhaftig ei— kaum zu erwartend— Genuss. (7) D— von d— klein— Peter geäussert— Bemerkung hat sei— Mutter gar nicht gefallen. (8) Ich besann mich sei— gut gemeint— Ratschläge. (9) — sei— Brief geht hervor, dass er über d— Sittenverschiedenheit ziemlich genau unterrichtet ist. (10) Ich werde versuchen, mei— klein— Tochter d— deutsch— Sprache beizubringen.

4. Geben Sie die richtige Form des Verbs im Präsens, im Imperfekt, im Perfekt:

(1) Unser Aufenthalt in Westdeutschland (hinterlassen) viele schöne Eindrücke in uns. (2) Wir (sich blamieren) auch manchmal. (3) Ich wundere mich, dass er Ihre Worte so oft (anführen). (4) Ich (erteilen) ihm einmal in der Woche Unterricht. (5) Er (zerschneiden) seine Kartoffeln immer mit dem Messer. (6) Er (sich besinnen) meiner Mahnung. (7) (Eingestehen) Sie Ihren Fehler? (8) Er (beichten) seine Sünden. (9) Er (übertreffen) die anderen bei weitem an Intelligenz. (10) Wir (versäumen) keine Gelegenheit.

5. Übersetzen Sie:

(1) I can only admit that he is right there. (2) Have you no sense of humour? (3) I had many proofs of his enthusiasm. (4) You may do it with a clear conscience. (5) What he told us made us think. (6) You must think it over (ponder over it). (7) I shall be eternally grateful for your hospitality. (8) That will perhaps one day be granted you. (9) Judging by his story he has grasped the explanation. (10) In recent times he has had (made) some interesting experiences.

6. Ergänzen Sie durch eine passende Präposition:

(1) Sie haben keinen Beweis — die Wahrheit Ihrer Behauptung. (2) Ich danke Ihnen — Herzen für die Einladung. (3) Im Laufe unserer Deutschlandreise sind wir — vielen freundlichen Menschen zusammengekommen. (4) Das müssen wir — allen Dingen auch einmal versuchen. (5) Ein Gefühl von Enttäuschung hat Besitz — uns ergriffen. (6) Denken Sie — die vielen Geschichten über diese beiden Strolche! (7) Da ist mir etwas Erstaunliches — die Augen gefallen. (8) Das dürfen Sie — gutem Gewissen tun. (9) Von wem wurden Sie — Empfang genommen? (10) Ich werde mich — nächster Zeit damit beschäftigen.

7. Übersetzen Sie:

As his holiday in Germany was over Mr London decided to pay a visit to his friend Mr Deutsch, tell him about his stay in Germany and thank him for the advice he had given him before his departure from London. He hardly knew where to begin. He could, of course, have begun with the economic boom in Western Germany, but as Mr Deutsch knew even more about that than he, he thought the latter would be more interested to hear his impressions of the people themselves.

A short time after their return he had asked his wife what had impressed her most. After thinking it over, she declared that her happiest recollection was of the friendly reception they had found everywhere they had gone. Mr London said he had to admit that she was right there, and that he too would be eternally grateful for the hospitality that had been granted them. The difference in customs had caused certain difficulties, but they had soon learned to adapt themselves to conditions in Germany, for they received so many invitations that they became thoroughly familiar with German family life.

WIEDERHOLUNG

1. Schreiben Sie einen kurzen Aufsatz über:

    (a) Deutsche Volkslieder.

    (b) Brief an einen deutschen Freund, in dem Sie irgend etwas beschreiben, was Sie in Deutschland erlebt haben.

2. Geben Sie die richtige Form des Verbs:

    (1) (Haben) ich ihn besuchen können, so hätte ich die Gelegenheit nicht versäumt. (2) Das (hervorgehen) deutlich aus dem Brief, wenn er es wirklich so meinte. (3) Das Konzert wäre ein grosser Erfolg, wenn es heute (stattfinden). (4) Wenn ich den Bericht schon vor dem Essen hörte, so (werden) er mir den Appetit verderben. (5) Das hätten Sie mir nie erzählen (sollen). (6) Wenn er sich auf Ihre Erklärung (berufen), so könnte ich ihm keine Antwort geben. (7) Wenn das Wetter (sich aufklären), so hätten wir nicht mehr warten (müssen). (8) Als ich ihn um eine Erklärung bat, (sich wenden) er an seine Frau. (9) Wir wurden überall sehr freundlich (aufnehmen). (10) Als wir in Deutschland waren, (beibringen) ich ihm viele sehr nützliche Ausdrücke.

3. Übersetzen Sie:

    (1) As I have given you my impressions I should now like to hear yours. (2) The joke he told me is better than the one you told me. (3) Our reception in his house was not so friendly as in yours. (4) Those among you who have neglected the opportunity will undoubtedly regret it. (5) You ought to have grasped the difference in customs long ago. (6) He would not have been able to quote the expression that you used. (7) If you emphasised the important words more your pronunciation would be better than his. (8) Had I succeeded in impressing upon him that I knew what had happened, he would have admitted it. (9) They would have been able to set off earlier if they had not partaken so freely of the food. (10) It goes without saying that you would have more appetite for dinner if you took a walk beforehand.

4. Ergänzen Sie:

(1) Der Beweis — sei— schlecht— Gewissen liegt — d— Hand.
(2) Ich berief mich — sei— Wort, aber — sei— Antwort zu urteilen, hat er gar nicht — sei— Versprechen nachgedacht.
(3) All— Fremd—, d— sich in dies— entzückend— Stadt aufhalten, wird etwas Schön— zuteil. (4) D— beid— Köln—
Strolch— blieb nichts übrig, als ih— Sünd— zu beichten.
(5) — laut— Langeweile knüpfte er ei— Gespräch — sei—
Tischnachbar an. (6) D— von mei— Freund gemacht—
Äusserung bezog sich — ih— Undankbarkeit. (7) Die von d—
Schüler— noch zu beantwortend— Fragen sind alle sehr leicht.
(8) In letzt— Zeit habe ich mit mei— Schwiegermutter wirklich
schlimm— Erfahrung— gemacht. (9) Suppe kann man weder
mit ei— Messer noch mit ei— Gabel essen. (10) Neulich hat
ei— gut— Bekannt— von mir ei— ganz köstlich— Witz erzählt.

5. Geben Sie die richtige Form des Verbs im Präsens, Imperfekt und Perfekt:

(1) Das (betonen) man manchmal zu sehr. (2) Unsere Reise
(hinterlassen) wirklich angenehme Eindrücke in uns. (3) Du
(sich blamieren), weil du die Sittenverschiedenheit nicht
(kennen). (4) Ein sehr netter Lehrer (erteilen) uns Unterricht
im Französischen. (5) Seine Schuld (eingestehen) er niemals.
(6) Wann (stattfinden) das erste Winzerfest in diesem Jahre?
(7) Der Junge (wachsen) viel zu schnell. (8) Verschiedene
Komponisten (komponieren) Klavier- und Violinkonzerte. (9)
Man (ernten) die Trauben, sobald sie reif (werden). (10) Das
(bedenken) Sie leider überhaupt nicht.

6. Ersetzen Sie den Relativsatz durch ein adjektivisches
Adjunktum:

(1) Der wirtschaftliche Aufschwung, den er in dieser Beziehung
betont hat, ist wirklich erstaunlich. (2) Wir wurden durch den
Regen aufgehalten, der den ganzen Tag ununterbrochen fiel.
(3) Die Qualität der Trauben, die man in diesem Herbst geerntet
hat, ist ganz hervorragend. (4) Wir hörten die Musik einer
kleinen Blaskapelle, die auf dem Markt spielte. (5) Der Fluss
strahlte im Licht von unzähligen kleinen Lampions, die an beiden
Ufern angebracht waren. (6) Die Sehnsucht nach der Heimatstadt, die in diesem Lied zum Ausdruck kommt, ist typisch für
den Komponisten. (7) Nach der Musik zu urteilen, die aus
sämtlichen Lokalen ertönte, war die Stimmung sehr fröhlich.
(8) Dieses Gedicht, welches Brahms vertont hat, ist sehr bekannt.
(9) Mit den Eiern, die von den kleinen Hühnern gelegt werden,
bin ich gar nicht zufrieden. (10) Die Speisen, die dieser Koch
zubereitet, sind immer ganz ausgezeichnet.

7. Setzen Sie ins Passiv:

(1) Weil es mir den Appetit verdorben hat, kann man es nicht für gut halten. (2) Wir suchten ihn am nächsten Tag sofort auf. (3) Die Kapelle wird rheinische Karnevalslieder spielen. (4) Man hatte uns überall sehr freundlich aufgenommen. (5) Bald haben wir ein sehr interessantes Gespräch angeknüpft. (6) Der Fischer hat uns ein paar frische Aale versprochen. (7) Man hat mir kein Wort darüber gesagt. (8) Mein Tischnachbar hat mir manches Interessante erzählt. (9) Das Feuerwerk wird den Rhein beleuchtet haben. (10) Überall brachte man Fahrpläne an.

8. (a) Verwandeln Sie die direkte Rede in die indirekte:

(1) Herr Deutsch fragte Herrn London : Was fiel Ihnen während Ihres Deutschlandaufenthaltes am meisten auf? (2) Frau London sagte: Mir hat unsere freundliche Aufnahme am meisten imponiert. (3) Er fragte mich: Stimmt das, was ich sage, oder stimmt es nicht? (4) Sie fragte: Was gibt eigentlich Anlass dazu? (5) Seine Mutter sagte: Peter darf seine Kartoffeln nicht mit dem Messer schneiden.

(b) Verwandeln Sie die indirekte Rede in die direkte:

(1) Er fragte, ob sie auch ihre Kartoffeln mit der Gabel zerteile? (2) Ich fragte, wer brächte ihm solche Ausdrücke bei? (3) Er behauptete, dass das gar nicht aus unserem Gespräch hervorginge. (4) Er sagte, er würde uns gern bei sich aufnehmen, wenn wir später zurückkämen. (5) Er sagte, dass seine Bemerkung sich nicht auf mich bezöge.

9. Übersetzen Sie:

(1) Why was it so difficult? (2) He said it didn't matter. (3) It goes without saying that we shall do our best. (4) He no longer enjoys such great popularity. (5) It is obvious that we cannot help him now. (6) You ought to have harvested the potatoes much earlier. (7) After pondering for a long time he had to admit I was right. (8) I have no proof of his enthusiasm. (9) There are folk-songs for every occasion and every mood. (10) I shall try to adapt the words to this tune. (11) That was indeed an experience never to be repeated. (12) If you allowed me to try (it) again, I should probably succeed. (13) We had no alternative but to set off at once. (14) Have you had much to do recently? (15) If he had no sense of humour he would be angry. (16) There is not much room for dancing in this small room. (17) To judge by his answer he is just as surprised as you. (18) If you had a clear conscience you would be able to explain what happened. (19) Approaching the town they saw the bright glow of many lanterns. (20) That orchestra does not play as well as the one we heard here last year.

LIEDER

DAS HEIDENRÖSLEIN

Sah ein Knab' ein Rös - lein stehn,
Rös-lein auf der Hei-den, War so jung und
mor-gen-schön, lief er schnell, es nah' zu sehn,
Sah's mit vie - len Freu-den. Rös-lein, Rös-lein,
Rös-lein rot, Rös-lein auf der Hei - - den.

2

Knabe sprach: Ich breche dich, Röslein auf der Heiden!
Röslein sprach: Ich steche dich, dass du ewig denkst an mich,
Und ich will's nicht leiden!
> Röslein, u. s. w.

3

Und der wild Knabe brach 's Röslein auf der Heiden;
Röslein wehrte sich und stach, half ihm doch kein Weh
> und Ach,
Musst' es eben leiden.
> Röslein, u. s. w.

GOETHE

DAS WANDERN

Das Wan-dern ist des Mül-lers Lust, das
Wan-dern ist des Mül-lers Lust, das Wandern! Das muss ein schlech-ter Mül-ler sein, Dem
nie-mals fiel das Wan-dern ein, dem
nie-mals fiel das Wan-dern ein, das Wan-dern.

I

:Das Wandern ist des Müllers Lust,: | das Wandern!
Das muss ein schlechter Müller sein,
:Dem niemals fiel das Wandern ein,:
Das Wandern.

154

2

:Vom Wasser haben wir's gelernt,: | vom Wasser!
Das hat nicht Ruh' bei Tag und Nacht,
:Ist stets auf Wanderschaft bedacht,:
Das Wasser.

3

:Das seh'n wir auch den Rädern ab,: | den Rädern!
Die gar nicht gern stille steh'n,
:Und sich mein Tag nicht müde dreh'n,:
Die Räder.

4

:Die Steine selbst, so schwer sie sind,: | die Steine!
Sie tanzen mit den muntern Reih'n
: Und wollen gar noch schneller sein, :
Die Steine!

5

: O Wandern, Wandern, meine Lust, : | O Wandern!
Herr Meister und Frau Meisterin,
: Lasst mich in Frieden weiter ziehn, :
Und wandern!

W. MÜLLER

LORELEI

Ich weiss nicht, was soll es be - deu - ten, Dass ich so trau - rig bin; Ein Mär-chen aus al - ten Zei - ten, das kommt mir nicht aus dem Sinn. Die Luft ist kühl und es dun - kelt, und ru - hig fliesst der Rhein; Der Gip - fel des Ber - ges fun - kelt im A - bend - son - nen - schein.

Ich weiss nicht, was soll es bedeuten,
Dass ich so traurig bin;
Ein Märchen aus alten Zeiten, das kommt mir nicht aus
    dem Sinn.
Die Luft ist kühl und es dunkelt,
Und ruhig fliesst der Rhein;
Der Gipfel des Berges funkelt im Abendsonnenschein.

2

Die schönste Jungfrau sitzet dort oben wunderbar,
Ihr gold'nes Geschmeide blitzet, sie kämmt ihr goldenes
    Haar.
Sie kämmt es mit goldenem Kamme, und singt ein Lied
    dabei,
Das hat eine wundersame gewaltige Melodei.

3

Den Schiffer im kleinen Schiffe ergreift es mit wildem
    Weh;
Er schaut nicht die Felsenriffe, er schaut nur hinauf in die
    Höh'.
Ich glaube, die Wellen verschlingen am Ende Schiffer und
    Kahn;
Und das hat mit ihrem Singen die Lorelei getan!

H. Heine

MUSS I DENN

1. { Muss i denn, muss i denn zum
   { Wenn i komm, wenn i komm, wenn i

Städ - te - le 'naus, Städ - te - le 'naus, und
wie - der - um komm, wie - der - um komm, kehr i

du, mein Schatz, bleibst hier? Kann i
ein, mein Schatz, bei dir.

gleich nit all - weil bei dir sein, Han i

doch mein Freud' an dir. Wenn i

komm, wenn i komm, wenn i wie - der - um komm,

wie - der - um komm, kehr i ein, mein Schatz, bei dir.

1

Muss i denn, muss i denn zum Städtele 'naus,
Städtele 'naus, und du, mein Schatz, bleibst hier?
Wenn i komm, wenn i komm, wenn i wiederum komm,
Wiederum komm, kehr i ein, mein Schatz, bei dir.
Kann i gleich nit allweil bei dir sein,
Han i doch mein Freud' an dir.
Wenn i komm, wenn i komm, wenn i wiederum komm,
Wiederum komm, kehr i ein, mein Schatz, bei dir.

2

Übers Jahr, übers Jahr, wenn me Träubele schneid't,
Träubele schneid't, stell i hier mi wiedrum ein.
Bin i dann, bin i dann dein Schätzele noch,
Schätzele noch, so soll die Hochzeit sein.
Übers Jahr, da ist mein Zeit vorbei,
Da g'hör i mein und dein.
Bin i dann, bin i dann dein Schätzele noch,
Schätzele noch, so soll die Hochzeit sein.

ICH HATT' EINEN KAMERADEN

Ich hatt' ei-nen Ka-me ra - den, ei - nen bes-sern find'st du nit. Die Trom-mel schlug zum Strei - - te, er ging an mei - ner Sei - te In glei - chem Schritt und Tritt, in glei - chem Schritt und Tritt

2

Eine Kugel kam geflogen, gilt sie mir oder gilt sie dir?
Sie hat ihn fortgerissen, er liegt zu meinen Füssen,
Als wär's ein Stück von mir, als wär's ein Stück von mir.

3

Will mir die Hand noch reichen, derweil ich eben lad'.
Kann dir die Hand nicht geben, bleib' du im ew'gen Leben,
Mein guter Kamerad, mein guter Kamerad.

L. UHLAND

ALPHABETICAL LIST OF STRONG AND IRREGULAR VERBS

The 3rd person singular present indicative and 2nd person familiar imperative are shown in the case of all **verbs** undergoing a vowel change. The same vowel change also applies to the 2nd person familiar singular present indicative. Where the present indicative is wholly irregular, the whole of the irregularities are given.

Compound verbs, separable and inseparable, **may** be checked by reference to the simple verb from which they **are** formed (*e.g.* **kennen** for **anerkennen**).

S. denotes conjugation with **sein**.

Infinitive	Pres. indicative	Imperative	Imperfect	Past participle
backen	bäckt	backe	buk (backte)	gebacken
befehlen	befiehlt	befiehl	befahl	befohlen
beginnen			begann	begonnen
beissen			biss	gebissen
biegen			bog	gebogen
bieten			bot	geboten
binden			band	gebunden
bitten			bat	gebeten
blasen	bläst		blies	geblasen
bleiben *S.*			blieb	geblieben
brechen	bricht	brich	brach	gebrochen
brennen			brannte	gebrannt
bringen			brachte	gebracht
denken			dachte	gedacht
dringen			drang	gedrungen
dürfen	*Sing.:* darf, darfst, darf		durfte	gedurft
	Plur.: dürfen, etc.			
empfehlen	empfiehlt	empfiehl	empfahl	**empfohlen**
essen	isst	iss	ass	gegessen
fahren *S.*	fährt		fuhr	gefahren
fallen *S.*	fällt		fiel	gefallen

Infinitive	Pres. indicative	Imperative	Imperfect	Past participle
fangen	fängt		fing	gefangen
finden			fand	gefunden
fliegen S.			flog	geflogen
fliehen S.			floh	geflohen
fliessen S.			floss	geflossen
fressen	frisst	friss	frass	gefressen
frieren			fror	gefroren
geben	gibt	gib	gab	gegeben
gehen S.			ging	gegangen
gelingen S. (*Impersonal*)			gelang	gelungen
geniessen			genoss	genossen
geschehen S. (*Impersonal*)	geschieht		geschah	geschehen
gewinnen			gewann	gewonnen
giessen			goss	gegossen
gleichen			glich	geglichen
gleiten S.			glitt	geglitten
graben	gräbt		grub	gegraben
greifen			griff	gegriffen
haben	*Sing.:* habe, hast, hat *Plur.:* haben, etc.	habe	hatte	gehabt
halten	hält		hielt	gehalten
hängen (*intrans.*)			hing	gehangen
heben			hob	gehoben
heissen			hiess	geheissen
helfen	hilft	hilf	half	geholfen
kennen			kannte	gekannt
klingen			klang	geklungen

Infinitive	Present	Imperative	Preterite	Past Participle
kommen *S.*			kam	gekommen
können	*Sing.:* kann, kannst, kann *Plur.:* können, etc.		konnte	gekonnt
kriechen *S.*			kroch	gekrochen
laden	lädt (ladet)		lud	geladen
lassen	lässt		liess	gelassen
laufen *S.*	läuft		lief	gelaufen
leiden			litt	gelitten
leihen			lieh	geliehen
lesen	liest	lies	las	gelesen
liegen			lag	gelegen
lügen			log	gelogen
meiden			mied	gemieden
messen	misst	miss	mass	gemessen
mögen	*Sing.:* mag, magst, mag *Plur.:* mögen, etc.		mochte	gemocht
müssen	*Sing.:* muss, musst, muss *Plur.:* müssen, etc.		musste	gemusst
nehmen	nimmt	nimm	nahm	genommen
nennen			nannte	genannt
pfeifen			pfiff	gepfiffen
preisen			pries	gepriesen
raten	rät		riet	geraten
reissen			riss	gerissen
reiten *S.*			ritt	geritten
rennen *S.*			rannte	gerannt
riechen *S.*			roch	gerochen
rufen			rief	gerufen

Alphabetical List of Strong and Irregular Verbs—continued

Infinitive	Pres. indicative	Imperative	Imperfect	Past participle
saugen			sog	**ge**sogen
scheiden S. (when intrans.)			schied	geschieden
scheinen			schien	geschienen
schieben			schob	geschoben
schiessen			schoss	geschossen
schlafen	schläft		schlief	geschlafen
schlagen	schlägt		schlug	geschlagen
schleichen S.			schlich	geschlichen
schliessen			schloss	geschlossen
schneiden			schnitt	geschnitten
(er) schrecken S. *(Weak reg. verb when transitive)*	(er)schrickt	(er)schrick	(er)schrak	(er)schrocken
schreiben			schrieb	geschrieben
schreien			schrie	geschrieen
schreiten S.			schritt	geschritten
schweigen			schwieg	geschwiegen
schwellen S.	schwillt	schwill	schwoll	geschwollen
schwimmen S.			schwamm	geschwommen
(ver)schwinden S.			(ver)schwand	(ver)schwunden
sehen	sieht	sieh	sah	gesehen
sein S.	*Sing.:* bin, bist, ist *Plur.:* sind, seid, sind	sei seid	war	gewesen
senden *(also weak reg.)*			sandte	gesandt
singen			sang	gesungen
sinken S.			sank	gesunken
sitzen			sass	gesessen
sollen	*Sing.:* soll, sollst, soll *Plur.:* sollen, etc.		sollte	gesollt
sprechen	spricht	sprich	sprach	gesprochen

Infinitive	Present	Imperative	Past	Past Participle
springen S.			sprang	gesprungen
stehen			stand	gestanden
stehlen S.	stiehlt	stiehl	stahl	gestohlen
steigen S.			stieg	gestiegen
sterben S.	stirbt	stirb	starb	gestorben
stossen	stösst		stiess	gestossen
streichen			strich	gestrichen
tragen	trägt		trug	getragen
treffen	trifft	triff	traf	getroffen
treiben (S. *when intrans.*—to drift)			trieb	getrieben
treten S.	tritt	tritt	trat	getreten
trinken			trank	getrunken
tun			tat	getan
verderben	verdirbt	verdirb	verdarb	verdorben
vergessen	vergisst	vergiss	vergass	**vergessen**
verlieren			verlor	verloren
wachsen S.	wächst		wuchs	gewachsen
waschen	wäscht		wusch	gewaschen
weisen			wies	gewiesen
wenden *(also reg. weak)*			wandte	gewandt
werfen	wirft	wirf	warf	geworfen
wiegen *(reg. weak*—to rock)			wog	gewogen
wissen *Sing.:* weiss, weisst, weiss *Plur.:* wissen, etc.	wisse		wusste	gewusst
wollen *Sing.:* will, willst, will *Plur.:* wollen, etc.			wollte	**gewollt**
ziehen (S. *when intrans.*—to proceed)			zog	gezogen
zwingen			zwang	gezwungen

GERMAN–ENGLISH VOCABULARY

The genitive singular, where peculiar, and the nominative plural are indicated after all nouns.

Separable verbs are shown by the abbreviation *sep*. Weak and strong verbs are indicated by the abbreviations *w.* and *str.* respectively. Strong and irregular weak verbs may be looked up in the appended alphabetical list. Almost all German adjectives may also be used as adverbs. The adjective form only is given in the English meaning.

der **Aal** (-e), eel
die **Abfahrt** (-en), departure
    abfinden (*str. sep.*), to satisfy, to put off
    abgesehen (**von**), apart (from)
    abreisen (*w. sep.*), to depart, to set off
der **Abschied** (-e), parting, farewell
    abschliessen (*str. sep.*), *trans.* to shut off, *intrans.* to end, to conclude
der **Abschluss** (:e), conclusion
    absetzen (*w. sep.*), to set down, to put down
die **Absicht** (-en), intention
    abstatten (*w. sep.*), to pay (visit)
    abwarten (*w. sep.*), to wait, to wait and see
die **Abwechselung** (-en), change, variety
die **Aktentasche** (-n), brief case
der **Alltag**, every day, every-day life
die **Alpen,** the Alps
    als, when, than
    alt, old
    altertümlich, ancient

das **Amt** (:er), office
    amüsant, amusing
    anbetteln (*w. sep.*), to beg from, to entreat
der **Anblick** (-e), sight, spectacle
    anbringen (*w. irreg. sep.*), to fix, to set up
das **Andenken** (-), souvenir
    sich ändern (*w.*), to change
    anführen (*w. sep.*), to quote
    angebaut, built on
    angehören (*w. sep.*), to belong to
die **Angst** (:e), fear
der **Anker** (-), anchor
    anknüpfen (*w. sep.*), to connect; **ein Gespräch anknüpfen,** to enter into conversation
der **Anlass** (:e), cause
    anlaufen (*str. sep.*), to put in at (shipping)
    anlegen (*w. sep.*), to put in (shipping)
    anmutig, charming
    anpassen (*w. sep.*), to adapt
    anreden (*w. sep.*), to address
die **Anregung** (-en), inspiration
    ansässig, domiciled, settled
    sich anschliessen (*str. sep.*), to join

ansehen (*str. sep.*), to look at, to regard

die **Ansicht** (**-en**), view

anstimmen (*w. sep.*), to tune up, to strike up

anstrengend, strenuous

die **Anstrengung** (**-en**), exertion

antiquarisch, second hand (of books)

antreten (*str. sep.*), to start on (journey)

anziehen (*str. sep.*), to attract

sich **anziehen** (*str. sep.*), to dress oneself

die **Arbeit** (**-en**), work

architektonisch, architectural

die **Armee** (**-n**), army

der **Aschenbecher** (**-**), ash tray

die **Atmosphäre** (**-n**), atmosphere

aufbewahren (*w. sep.*), to keep, to save, to store

die **Aufforderung** (**-en**), challenge

sich **aufhalten** (*str. sep.*), to stay, to sojourn

aufhören (*w. sep.*), to cease, to stop

aufklappen (*w. sep.*), to spring open

sich **aufklären** (*w. sep.*), to clear up

aufleben (*w. sep.*), to come to life, to be enlivened

sich **auflösen** (*w. sep.*), to dissolve, to be dissolved

aufmerksam, attentive

die **Aufnahme** (**-n**), photograph; reception

aufnehmen (*str. sep.*), to absorb, to take in, to include

die **Aufregung** (**-en**), excitement

aufrichtig, honest, genuine

der **Aufschwung** (**¨e**), boom (in trade, etc.)

der **Aufstieg** (**-e**), ascent

aufsuchen (*w. sep.*), to seek out, to look up (a person, a house, etc.)

der **Ausdruck** (**¨e**), expression

der **Ausflug** (**¨e**), excursion

der **Ausgangspunkt** (**-e**), starting point

auskommen (*str. sep.*), to manage, to make do

ausländisch, foreign

ausliegen (*str. sep.*), to be displayed

ausnehmen (*str. sep.*), to gut (fish)

ausnutzen (*w. sep.*), to exploit, to make use of

sich **ausruhen** (*w. sep.*), to rest

äussere, external, outer

äussern (*w.*), to utter, to express

sich **äussern** (*w.*), to express oneself

die **Äusserung** (**-en**), remark

austauschen (*w. sep.*), to exchange

auswendig, by heart, from memory

sich **auszeichnen** (*w. sep.*), to distinguish oneself, to be distinguished

der **Auszug** (**¨e**), extract

Baden, the province of Baden

die **Badestadt** (**¨e**), watering place

badisch, pertaining to Baden

der **Batzen** (**-**), old coin (farthing) now obsolete

der **Bau** (**-ten**), building

bauen (*w*), to build

bayrisch, Bavarian

beantworten (*w.*), to answer (*trans.*)

das **Becken** (-), artificial pond

sich **bedanken** (*w.*), to express one's thanks

bedenken (*w. irreg.*), to bear in mind

beeindrucken (*w.*), to impress

sich **befassen** (**mit**) (*w.*), to concern oneself with

sich **befinden** (*str.*), to be

befreien (*w.*), to liberate, to set free

befriedigen (*w.*), to satisfy

sich **begeben** (*str.*), to betake oneself

die **Begeisterung** (-en), enthusiasm

begleichen (*str.*), to settle (bill, etc.)

der **Begleiter** (-), companion

sich **begnügen** (*w.*), to content oneself, to be content

begrenzen (*w.*), to limit

behäbig, comfortable, easy-going

behalten (*str.*), to keep, to retain

beibringen (*w. irreg. sep.*), to teach, to inculcate

die **Beichte**, confession

beichten (*w.*), to confess

beissen (*str.*), to bite

beitragen (*str. sep.*), to contribute

der **Bekannte** (*adjectival noun*), acquaintance

die **Bekanntschaft** (-en), acquaintance, acquaintance-ship

sich **beklagen** (**über**), to complain

beladen, laden

beleuchten (*w.*), to illuminate

die **Beleuchtung** (-en), illumination

die **Beliebtheit,** popularity

belohnen (*w.*), to reward

bemerken (*w.*), to remark, to notice

die **Bemerkung** (-en), remark

die **Bemühung** (-en), endeavour

bengalisch, Bengal

der **Bengel** (-), rascal, urchin

benutzen (*w.*), to use

der **Bereich** (-e), (*also neuter*), area, precincts

bereit, ready

bereiten (*w.*), to prepare

bereuen (*w.*), to regret

der **Bergführer** (-), mountain guide

der **Bericht** (-e), report

berichten (*w.*), to report

der **Beruf** (-e), profession, vocation

sich **berufen** (**auf**) (*str.*), to refer to, to make use of (in argument)

sich **beschäftigen** (**mit**) (*w.*), to be busy, to occupy oneself

beschliessen (*str.*), to decide

besichtigen (*w.*), to view, to inspect

besingen (*str.*), to sing of

sich **besinnen** (*str.*), to remember, to bear in mind

der **Besitz** (-e), possession

besprechen (*str.*), to discuss

bestaunen (*w.*), to marvel at

bestehen (*str.*), to exist

die **Besteigung** (-en), ascent

der **Besucher** (-), visitor

betonen (*w.*), to emphasise

der **Betracht,** regard, consideration

der **Betrieb** (-e), business concern

beurteilen (*w.*), to judge

bewachen (*w.*), to guard, to watch over

bewahren (*w.*), to save, to protect

sich **bewahrheiten** (*w.*), to prove true, to come true

bewaldet, wooded

der **Beweis** (-e), proof

bewundern (*w.*), to admire

das **Bewusstsein,** consciousness

bezaubernd, enchanting

bezeichnen (*w.*), to describe, to designate

die **Bezeichnung** (-en), description, designation

sich **beziehen** (**auf**) (*str.*), to refer to

das **Bild** (-er), picture

bisher, hitherto

sich **blamieren** (*w.*), to show oneself up, to disgrace oneself

die **Blaskapelle** (-n), brass band

das **Blatt** (¨er), leaf

das **Blumenbeet** (-e), flower bed

der **Boden** (¨), floor, ground

der **Bombenkrieg** (-e), bomb warfare, aerial warfare

der **Bombenschaden,** bomb damage

brennen (*w. irreg.*), to burn

die **Broschüre** (-n), brochure

die **Brücke** (-n), bridge

die **Bude** (-n), booth, stall

bunt, motley

die **Burg** (-en), castle, fortress

der **Bürger** (-), citizen

der **Bürgermeister** (-), mayor

der **Bürgersteig** (-e), pavement

der **Charakter** (-e), character

damalig, of that time

damals, at that time, then

damit, so that, in order that

die **Dampfschiffahrtsgesellschaft** (-en), steamship company

dankbar, grateful

die **Dankbarkeit,** gratitude

darstellen (*w. sep.*), to represent, to portray

das **Deck** (-e), deck (of a ship)

das **Denkmal** (¨er), monument

derartig, of that kind, such

deutlich, clear, distinct

dicht, dense, close

der **Dichter** (-), poet

dieser (*pronoun*), the latter

dirigieren (*w.*), to conduct

dortig, of that place, there

der **Drachentöter** (-), slayer of the dragon

der **Dreissigjährige Krieg,** the Thirty Years War

drunten, down there

dünn, thin

durchaus, entirely, absolutely

durchschnittlich, average

durchsichtig, transparent

durchwandern (*w. insep.*), to wander through

echt, genuine

das **Eichhörnchen** (-), squirrel

eigenartig, peculiar

einatmen (*w. sep.*), to breathe in, to inhale

einbiegen, (**in**), (*str. sep.*), to turn into

der **Einblick,** insight

der **Eindruck** (¨e), impression

eindrucksvoll, impressive

einfahren (*str. sep.*), to come in (train), to drive in

der **Einfall,** (¨e), idea

eingestehen (*str. sep.*), to admit, to confess

einige, a few, some

einigermassen, to some extent

einladen (*str. sep.*), to invite

einlaufen (*str. sep.*), to come in (train)

einmalig, unique

einnehmen (*str. sep.*), to partake of (food)

die **Einrichtung** (**-en**), institution, idea

einschärfen (*str. sep.*), to impress upon

einschliesslich, inclusive

einsehen (*str. sep.*), to see, to comprehend

eintönig, monotonous

der **Eintrittspreis** (**-e**), admission fee

einverstanden, in agreement

der **Einwohner** (**-**), inhabitant

die **Eleganz,** elegance

empfangen (*str.*), to receive

empfinden (*str.*), to feel, to sense

empfindlich, sensitive

endgültig, final, ultimate

eng, narrow, small

sich **entfernen** (*w.*), to go away

entfernt, distant

entgegennehmen (*str. sep.*), to accept

entgegensehen (*str. sep.*), to look forward to

entgegnen (*w.*), to reply

enthalten (*str.*), to contain

entlang, along

sich **entschliessen** (*str.*), to decide, to make up one's mind

entsprechen (+ *dative*), (*str.*), to correspond to

enttäuschen (*w.*), to disappoint

die **Enttäuschung** (**-en**), disappointment

entzückend, delightful

die **Erde,** earth

das **Ereignis** (**-nisse**), event

erfahren (*str.*), to experience, to learn

erfassen (*w.*), to grasp (mentally)

sich **erfreuen** (+ *genitive*), to rejoice in, to enjoy

erfreulich, pleasing, delightful

erfreut, pleased, joyful

erfrischen (*w.*), to refresh

sich **ergötzen** (**an**), to delight in, to enjoy

ergreifen (*str.*), to seize, to grasp

erhalten (*str.*), to receive, to preserve

erhalten, preserved

sich **erheben** (*str.*), to rise

erhöhen (*w.*), to raise

sich **erholen** (*w.*), to recuperate, to recover

die **Erholung,** recuperation

erinnern (*w.*), to remind

sich **erinnern** (**an**), (*w.*), to remember

die **Erinnerung** (**-en**), recollection, remembrance

erlauben (+ *dative*), (*w.*), to allow, to permit

erleben (*w.*), to experience

das **Erlebnis** (**-nisse**), experience

ermüdend, tiring

ernten (*w.*), to harvest

erschrecken (*str.*), to be frightened, to be alarmed, (*w.*), to frighten

erstatten (*w.*), to make (a report)

erstaunlich, astonishing

erstaunt, astonished

erteilen (*w.*), to impart

ertönen (*w.*), to resound
ertragen (*str.*), to bear, to endure
erwachen (*w.*), to wake up, to awake
die **Erwartung** (-en), expectation
sich **erweisen** (**als**), (*str.*), to prove oneself to be
der **Erzbischof** (**⏨e**), archbishop
die **Erziehung** (-en), education
der **Esel** (-), ass
die **Existenz** (-en), living, existence

das **Fachwerkhaus** (**⏨er**), half-timbered house
der **Fahrdamm** (**⏨e**), roadway
der **Fahrgast** (**⏨e**), passenger
familiär, vulgar
der **Fanatiker** (-), fanatic
die **Farbe** (-n), colour
farbig, coloured
das **Fass** (**⏨er**), cask, barrel
das **Federbett** (-en), feather bed
feiern (*w.*), to celebrate
der **Feldherr** (-n, -en), commander, general
der **Fels** or **Felsen** (**Felsens, Felsen**), rock, cliff
die **Ferien**, holidays
die **Ferne** (-n), distance
die **Festung** (-en), fortress
feurig, fiery
die **Figur** (-en), figure
der **Fischer** (-), fisherman
die **Fischerei** (-en), fishing industry
der **Fischfang**, fishing
flach, flat
flehentlich, imploringly
fliessen (*str.*), to flow
die **Flucht** (**⏨e**), flight
die **Folge** (-n), consequence
der **Forscher** (-), scientist, explorer, researcher

fortsetzen (*w. sep.*), to continue
französisch, French
das **Freibad** (**⏨er**), open air bathing pool
der **Fremde** (*adjectival noun*), stranger
fressen (*str.*), to eat (of animals)
freundlichst, most kindly, very kindly
sich **freuen** (**auf**), (*w.*), to look forward to (**über**), to be pleased at
die **Frische**, freshness
die **Fröhlichkeit,** jollity, merriment
der **Frohsinn,** jollity, joviality
der **Frühling** (-e), Spring
sich **fühlen** (*w.*), to feel (*intransitive*)
die **Fülle**, abundance, plenitude
füttern (*w.*), to feed

die **Gabel** (-n), fork
der **Gang** (**⏨e**), corridor, walk
die **Gartenschau,** garden exhibition
der **Gärtner** (-), gardener
die **Gasse** (-n), alley, lane
die **Gastfreundschaft,** hospitality
die **Gaststätte** (-n), restaurant
die **Gastwirtschaft** (-en), inn, restaurant
gebrauchen (*w.*), to use
gebräunt, browned, tanned
das **Gebirge** (-), range of mountains
das **Gedränge** (-), crowd, throng
gedrängt, crowded
gefährlich, dangerous
der **Gefangene** (*adjectival noun*), prisoner
das **Gefühl** (-e), feeling

der **Gegensatz** (ᴗe), contrast
das **Gegenteil** (-e), opposite
gehören (*w*)., to belong
das **Gelände,** land, territory
gelangen (*w*)., to reach, to attain
der **Geldbeutel** (-), purse
gelegen, situated
die **Gelegenheit** (-en), opportunity, occasion
gelingen (*str. impersonal + dative*), to succeed
die **Gemäldegalerie** (-n), art gallery
gemäss, according to
die **Gemütlichkeit,** joviality, cosiness
geneigt, inclined
geniessen (*str.*), to enjoy
genügen (*w*)., to suffice
der **Genuss** (ᴗe), enjoyment
gepflegt, tended, well cared for, well kept
das **Geräusch** (-e), noise
gerechtfertigt, justified
der **Gesang,** singing, song
geschnitzt, carved
das **Gesicht** (-er), face
der **Gesichtszug** (ᴗe), facial feature
das **Getränk** (-e), drink
gewahr, aware
gewaltig, mighty, powerful
das **Gewimmel** (-), throng, busy crowd
gewiss, certain
das **Gewissen** (-), conscience
die **Gewissheit,** certainty
gewohnt, accustomed
das **Gewürz** (-e), spice
die **Giebelwand** (ᴗe), gable end
der **Gipfel** (-), peak, top
glänzend, brilliant
glasüberdeckt, glass covered
gleichzeitig, simultaneous
gleiten (*str.*), to glide

glücklicherweise, fortunately
das **Gold,** gold
der **Graben** (ᴗ), moat, ditch
die **Grausamkeit** (-en), cruelty
der **Groschen** (-), penny
grossartig, grand, magnificent
gründlich, thorough
die **Gruppe** (-n), group
der **Gruss** (ᴗe), greeting
die **Gunst** (ᴗe), favour
günstig, favourable
die **Gurke** (-n), cucumber, nose (*vulgar*)
gutbürgerlich, middle class

die **Hälfte** (-n), half
die **Haltestelle** (-n), stopping place, stop
der **Handwerker** (-), artisan, craftsman
die **Haut** (ᴗe), skin
heil, whole, sound
der **Heilige** (*adjectival noun*), saint
das **Heilmittel** (-), remedy, cure
die **Heimatstadt** (ᴗe), home town
der **Held** (-en, -en), hero
hell, bright
der **Heller** (-), small coin, farthing (now obsolete)
sich herausstellen (*w. sep.*), to evolve
herniederschauen (*w. sep.*), to look down
die **Herrlichkeit** (-en), glory
herrschen (*w.*), to prevail, to reign
herumlaufen (*str. sep.*), to run about
hervorgehen (*str. sep.*), to emerge (from argument)
hervorragend, outstanding
das **Herz** (-ens, -en), heart

die **Hetze,** dreadful rush (*colloquial*)

heutig, present day, of today

der **Himmel** (-), sky, heaven

sich hinlegen (*w. sep.*), to lie down

sich hinsetzen (*w. sep.*), to sit down

sich hinstrecken (*w. sep.*), to stretch out

hinter, behind

hinterher, afterwards

hinterlassen (*str. sep.*), to bequeath, to leave behind

hinzufügen (*w. sep.*), to add

die **Höhe** (-n), hill, peak

der **Höhepunkt** (-e), peak (*figurative*)

holzgetäfelt, panelled

die **Holzvertäfelung** (-en), panelling, wainscot

der **Honig,** honey

horchen (*w.*), to listen, to eavesdrop

der **Hörer** (-), listener

hübsch, pretty, handsome

hügelig, hilly

der **Humor,** humour

der **Humpen** (-), tankard

der **Hund** (-e), dog

die **Hungersnot** (¨e), famine

hungrig, hungry

imponieren (*w.*), + *dative,* to impress

die **Industrie** (-n), industry

innere, internal, inward, inner

die **Insel** (-n), island

das **Interesse** (-ns, -n), interest

sich interessieren (für), (*w.*), to be interested in

das **Jahrhundert** (-e), century

jemals, ever

der **Junge** (-n, -n), boy

der **Kahn** (¨e), boat

das **Kahnfahren,** boating

die **Kajüte** (-n), cabin

der **Kapellmeister** (-), conductor

der **Kauz** (¨e), comical fellow (*colloquial*) (*literally:* screech owl)

keck, bold

keineswegs, by no means, in no way

die **Kellerei** (-en), cellarage, wine cellars

kennzeichnend, characteristic

der **Kieselstein** (-e), pebble

klar, clear

klettern (*w.*), to climb

das **Kloster** (¨), monastery, convent

der **Klosterbruder** (¨), monk

knapp, bare, mere

der **Knoblauch,** garlic

das **Kohlenbergwerk** (-e), mine, coal-mine

kommerziell, commercial

komponieren (*w.*), to compose

der **Komponist** (-en, -en), composer

die **Komposition** (-en), composition

der **Konkurrent** (-en, -en), rival

kontrollieren (*w.*), to control, check, examine

der **Korb** (¨e), basket

köstlich, delightful

kostspielig, expensive

kräftig, strong, substantial

die **Kribbe** (-n), breakwater

die **Küche** (-n), kitchen

der **Kumpel** (-), miner (*colloquial*)

die **Kunst** (¨e), art

künstlerisch, artistic

die **Kur,** cure, treatment

kurz, short, brief
küssen (w.), to kiss
der Kutter (-), cutter, single-
    masted vessel

lächeln (w.), to smile
die Lage (-n), situation, position
der Lampion (-s), lantern
die Landschaft, scenery
länger, longer, fairly long
langsam, slow
sich langweilen (w. insep.), to
    be bored
lästig, burdensome, tedious
die Laune (-n), mood, temper
die Laute (-n), lute
lauter, pure, nothing but
lebenslustig, jolly, filled
    with joie de vivre
lecker, delicious
der Leckerbissen (-), delicacy
die Lederwaren, leather goods
    (sing. Lederware, f.)
die Legende (-n), legend
der Lehrling (-e), apprentice
der Leib (-er), body
leiden (str.), to suffer
leisten (w.), to achieve
sich leisten (w.), to afford, to be
    able to afford
die Lektüre (-n), reading
    matter, reading
das Licht (-er), light
die Lichtung (-en), clearing
das Liebchen (-), sweetheart,
    darling
die Liebe, love
der Liebende (adjectival noun),
    lover
lieber, rather, preferably
liebgewinnen (str. sep.), to
    learn to love
das Lied (-er), song
locken (w.), to entice
das Lockenköpfchen (-), curly
    head

das Lokal (-e), inn, place of re-
    freshment
die Luftspiegelung (-en),
    mirage
der Luxusartikel (-), luxury,
    article of luxury
die Lyrik, lyricism

die Mahnung (-en), warning
malen (w.), to paint
der Maler (-), painter
malerisch, picturesque
die Mannigfaltigkeit, mani-
    fold nature, variety
die Manufaktur (-en), factory
märchenhaft, fairy-like
der Markt (¨e), market, market
    place
der Marktplatz (¨e), market
    place
marschieren (w.), to march
das Mass (-e), measure, degree
die Masse (-n), mass
der Masskrug (¨e), litre jug
der Materialist (-en, -en),
    materialist
die Mauer (-n), wall
die Maus (¨e), mouse
mehrere, several
die Meinung (-en), opinion
meist, most
das Meisterwerk (-e), master-
    piece
merken (w.), to notice
das Messer (-), knife
der Metzgermeister (-), master
    butcher
mieten (w.), to rent, to
    hire
die Mineralquelle (-n), mineral
    spring
das Mitleid, sympathy
das Mittelalter, Middle Ages
mittelalterlich, medieval
mitteilen (w. sep.), to in-
    form

die **Mittelstation** (-en), half-way house
die **Mode** (-n), fashion
möglich, possible
der **Mönch** (-e), monk
moralisch, moral
die **Mühe,** trouble
münden (in, auf), to run into
die **Mündung** (-en), estuary
das **Münster** (-), minster
die **Münze** (-n), coin
das **Museum** (-een), museum
der **Musiker** (-), musician
die **Mütze** (-n), cap

die **Nachahmung** (-en), imitation
der **Nachbar** (-s or n, -n), neighbour
nächtlich, nocturnal
nachträglich, subsequent
sich **nähern** (w.), to approach
die **Natur** (-en), nature
die **Naturheilkunde** (-n), science of nature healing
die **Naturwissenschaft** (-en), natural science
der **Nebenfluss** (¨e), tributary
das **Netz** (-e), net
neulich, recently, the other day
niederrollen (w. sep.), to roll down
der **Notar** (-e), notary, lawyer
nützlich, useful

die **Oase** (-n), oasis
ober, upper, top
oberhalb (+ genitive), above, over
obwohl, although
der **Offizier** (-e), officer
das **Ohr** (-en), ear
das **Ohrläppchen** (-), ear lobe

das **Opfer** (-), victim, sacrifice
die **Orgel** (-n), organ
sich **orientieren** (w.), to obtain one's bearings or direction
das **Ornament** (-e), ornament
der **Ort** (-e), place
Österreich, Austria
österreichisch, Austrian

das **Paddelboot** (-e), paddle boat, canoe
der **Passagier** (-e), passenger
passen (w.), + dative, to suit
passieren (w.), to happen
peinlich, embarrassing
das **Pferd** (-e), horse
planen (w.), to plan
das **Plattdeutsch,** Low German
die **Plattform** (-en), platform
die **Plünderung** (-en), plundering, pillage, sacking
das **Porzellan** (-e), porcelain, china
die **Pracht** (-en), splendour
prächtig, splendid, magnificent
predigen (w.), to preach
die **Preistafel** (-n), price list
der **Priester** (-), priest
das **Produkt** (-e), product
prunkvoll, magnificent, showy
die **Pünktlichkeit,** punctuality
der **Purzelbaum** (¨e), somersault

das **Rad** (¨er), wheel
der **Radschläger** (-), cartwheeler, somersaulter
die **Rakete** (-n), rocket
der **Rand** (¨er), edge
die **Rasenfläche** (-n), lawn, stretch of lawn
raten (str.), + dative, to advise

der **Ratschlag** (·e), advice (*used in plural only*)

die **Ratstrinkstube** (-n), Town Hall hostelry

der **Raubritter** (-), robber knight

räuchern (*w.*), to smoke

der **Räucherofen** (·), smoke chamber

der **Raum** (·e), space, room

die **Rebe** (-n), vine

rechnen (*w.*), to reckon, to calculate

die **Rechnung** (-en), bill

rechtfertigen (*w.*), to justify

der **Refrain** (-s), chorus, refrain

der **Regenschirm** (-e), umbrella

das **Reh** (-e), roe, deer

reichen (*w.*), to reach (*intrans.*)

reichlich, abundant

reinigen (*w.*), to clean

reiten (*str.*), to ride

der **Reiz** (-e), charm

reizend, charming

retten (*w.*), to rescue

die **Rettung** (-en), rescue

rheinabwärts, down the Rhine

rheinisch, rhenish

das **Riechorgan** (-e), organ of smell, nose

der **Riese** (-n, -n), giant

riesig, gigantic

das **Riff** (-e), reef

der **Ritter** (-), knight

romantisch, romantic

der **Rückweg** (-e), way back

das **Ruder** (-), oar

das **Ruderboot** (-e), rowing boat

der **Ruf** (-e), reputation

die **Ruhe**, rest, peace

sich rühmen (*w.*), to boast

die **Ruine** (-n), ruin

der **Rundgang** (·e), tour, round

der **Saal** (**Säle**), hall, room

die **Sache** (-n), thing, matter

die **Sage** (-n), legend, saying

sagenhaft, legendary

die **Saison** (-s), season

der **Salon** (-s), drawing room, lounge

der **Sänger** (-), singer, vocalist

der **Satz** (·e), setting, arrangement (of music)

die **Säule** (-n), pillar, column

der **Schatten** (-), shadow, shade

der **Schatz** (·e), treasury, treasure

schätzen (*w.*), to value, to esteem, to estimate

schauen (*w.*), to look

der **Schauer** (-), shower (also 'thrill')

schäumen (*w.*), to foam

der **Schein**, radiance, glow

scheinen (*str.*), to shine, to glow, to seem

das **Scherzwort** (-e), jest

die **Scheune** (-n), barn

scheusslich, horrible, dreadful

schicken (*w.*), to send

das **Schiff** (-e), ship

die **Schiffahrt**, navigation

schildern (*w.*), to depict

der **Schlaf**, sleep

schlagen (*str.*), to beat, to strike

der **Schlager** (-), popular song, 'hit'

das **Schlagwort** (-e), slogan

schlechthin, simply, merely, solely

schlendern (*w.*), to dawdle, to saunter

der **Schleppdampfer** (-), tug

der **Schleppkahn** (·e), barge

die **Schleuse** (-n), sluice, lock

schmackhaft, tasty

schmieden (*w.*), to forge, to make (of plans)

der **Schnee,** snow
der **Schoppen** (-), glass, goblet, glass of wine
schunkeln (*w.*), to sway in time to music
der **Schupo** (-s), policeman
schütteln (*w.*), to shake
schwäbisch, Swabian
schwanken (*w.*), to vacillate, to reel, to wobble
der **Schwarm** (¨e), swarm
schweigen (*str.*), to remain silent, to fall silent
die **Schwiegermutter** (¨), mother-in-law
schwimmen (*str.*), to swim, to float
der **See** (-n), lake
der **Seemann** (**Seeleute**), sailor, seaman
sehenswert, worth seeing
die **Sehnsucht,** longing
die **Seilbahn** (-en), funicular railway
der **Sessellift** (-e or -s), armchair lift
setzen (*w.*), to arrange (music)
seufzen (*w.*), to sigh
sichern (*w.*), to secure, to make safe
das **Silber,** silver
singen (*str.*), to sing
der **Sinn** (-e), sense, mind
die **Sitte** (-n), custom
der **Skilehrer** (-), skiing instructor
sobald, as soon as
soeben, just, just now
der **Soldat** (-en, -en), soldier
die **Sorge** (-n), care, worry
sorgen (**für**), (*w*), to take care that, to see to
der **Speisesaal** (-säle), dining room
sich spiegeln (*w.*), to be reflected

spontan, spontaneous
springen (*str.*), to jump
spritzig, piquant, sharp
der **Spruch** (¨e), saying
spuken (**in**), (*w.*), to haunt
spurlos, without trace
das **Stadtbild** (-er), view or panorama of the town
stammen (*w.*), to date from, to originate in
das **Standbild** (-er), statue
die **Stätte** (-n), place, seat (*figurative*)
stattfinden (*str. sep.*), to take place
stattlich, stately, impressive
der **Staub** (-e), dust
das **Stauwerk** (-e), system of locks or sluices
der **Stein** (-e), stone
das **Sternchen** (-), small star, asterisk
die **Stiftskirche** (-n), collegiate church
der **Stil** (-e), style
die **Stimmung** (-en), mood
der **Stoff** (-e), material
störend, disturbing
die **Störung** (-en), disturbance
die **Strafe** (-n), punishment
die **Strapaze** (-n), hardship
der **Strauch** (¨er), bush, shrub
der **Streit** (-e), strife, quarrel
der **Strolch** (-e), scamp, rascal, vagabond
der **Strom** (¨e), large river, stream (*figurative*)
der **Student** (-en, -en), student
südlich, southern, to the south
die **Sünde** (-n), sin

das **Tal** (¨er), valley
der **Tank** (-e), tank
die **Tätigkeit** (-en), activity
die **Technik,** technology

das **Tempo** (-s), speed
die **Terrasse** (-n), terrace
die **Textilware** (-n), textile, textile goods
das **Tier** (-e), animal
der **Tod** (-e), death
das **Totenbett** (-en), death bed
das **Tor** (-e), gate
töten (*w.*), to kill
die **Tour** (-en), tour
die **Tradition** (-en), tradition
die **Traube** (-n), bunch of grapes
traurig, sad
die **Treidelschiffahrt**, system of towing ships by rope
der **Trog** (¨e), trough
trübe, dismal, dull
tüchtig, efficient, proficient
der **Turm** (¨e), tower

der **Übergang** (¨e), crossing
überliefern (*w. insep.*), to hand down
übernachten (*w. insep.*), to stay overnight
übernehmen (*str. insep.*), to take over
überqueren (*w. insep.*), to cross
überragen (*w. insep.*), to tower above
überreden (*w. insep.*), to persuade
überrennen (*w. irreg. insep.*), to overrun
überspannen (*w. insep.*), to span
die **Überstunden** (*plural*), overtime
übrig, remaining, left over
das **Ufer** (-), bank (of river), shore
umblühen (*w. insep.*), to cover or surround with blossom

umgeben (*str. insep.*), to surround
die **Umgebung** (-en), surroundings, environment
sich umsehen (*str. sep.*), to look round
der **Umweg** (-e), detour
unaufhörlich, ceaseless, unceasing
unaussprechlich, unspeakable, inexpressible
unbedingt, definitely, at all costs
unbeschreiblich, indescribable
und so weiter (**usw.**), etcetera
unermüdlich, indefatigable
unerschöpflich, inexhaustible
ungefähr, approximately, about
unglücklich, unhappy, unfortunate
unheimlich, uncanny
unmittelbar, direct
unsagbar, unspeakable
sich unterhalten (*str. insep.*), to converse
unterhalten (*str. insep.*), to entertain
die **Unterhaltung** (-en), conversation, entertainment
unternehmen (*str. insep.*), to undertake
unterrichten (*w. insep.*), to instruct
der **Unterschied** (-e), difference
untrennbar, inseparable
ununterbrochen, uninterrupted
unvergesslich, unforgettable
unvergleichlich, incomparable
unversehens, unwittingly

unzählig, countless
uralt, ancient
die **Urkunde (-n),** document
die **Ursache (-n),** cause, reason
der **Ursprung (¨e),** origin
urteilen (*w.*), to judge

verabreden (*w. insep.*), to arrange
sich **verabschieden** (*w. insep.*), to say goodbye, to take one's leave
die **Veranlassung (-en),** occasion
verbleiben (*str.*), to remain (*figurative*)
verdanken (*w.*), to owe, to be beholden to someone for something
verderben (*str.*), to spoil
verdienen (*w.*), to earn, to deserve
verewigen (*w.*), to perpetuate
verfügen (**über** + *acc.*), (*w.*), to have at one's disposal
die **Verfügung (-en),** disposal; **es steht mir zur Verfügung,** I have it at my disposal
die **Vergangenheit,** past
vergleichen (*str.*), to compare
vergnügt, pleasant, enjoyable
das **Verhältnis (-nisse),** condition, relation
die **Verheissung (-en),** promise
verlassen (*str.*), to leave
verlaufen (*str.*), to proceed
die **Verpflegung (-en),** food (feeding)
verpflichtet, obliged
verrufen, of bad reputation

versagen (*w.*), to fail, to be a failure
versäumen (*w.*), to miss
verschiedenartig, diverse
die **Verschiedenheit (-en),** variety
verschwinden (*str.*), to disappear
versichern (*w.*), to assure
das **Versprechen (-),** promise
verspüren (*w.*), to feel
sich **verstecken** (*w.*), to hide
vertragen (*str.*), to endure, to bear
verurteilen (*w.*), to condemn
verweilen (*w.*), to linger
verwundert, surprised
die **Verwunderung,** surprise (feeling of surprise)
verzaubern (*w.*), to bewitch, to lay a magic spell on
verzehren (*w.*), to consume
das **Verzeichnis (-nisse),** list
das **Volkslied (-er),** folk song
die **Volkspoesie,** folk poetry
das **Volkstum,** popular feeling, national feeling
die **Volksweise (-n),** folk tune
völlig, complete
im **voraus,** in advance, in anticipation
vorhanden, available, present
vorher, before, previously
vorkommen (*str. sep.*), to occur
die **Vorkriegszeit,** pre-war period
vornehm, refined, good class
vorschlagen (*str. sep.*), to suggest
vortrefflich, excellent
vorüber, over, past
vorübergehend, temporary

wachsen (*str.*), to grow
der **Wächter** (-), guard
die **Waffe** (**-n**), weapon
wahrhaftig, truly, really, positively
wahrnehmen (*str. sep.*), to perceive; **die Gelegenheit wahrnehmen,** to take the opportunity
wahrscheinlich, probably
der **Wald** (**⸚er**), wood, forest
der **Walfisch** (**-e**), whale
der **Walzer** (-), waltz
wandern (*w*), to wander, to ramble
die **Wanderung** (**-en**), ramble
die **Ware** (**-n**), goods, commodity
sich **waschen** (*str.*), to wash oneself
die **Wasserfläche** (**-n**), surface of the water
wehmütig, melancholy, sad
Weihnachten, Christmas
das **Weihnachtslied** (**-er**), Christmas carol
das **Weilchen** (-), short time
sich **wenden** (*w. reg. or irreg.*), to turn
wenig, little
wert, worth
der **Wiederaufbau,** reconstruction
wiederaufbauen (*w. sep.*), to reconstruct
Wien, Vienna
das **Wiegenlied** (**-er**), cradle song, lullaby
willkommen, welcome
wimmeln (*w.*), to teem (with, **von**)
der **Winkel** (-), corner, angle
der **Wintersport,** winter sports
der **Winzer** (-), vintager
das **Winzerfest** (**-e**), wine festival

die **Wirkung** (**-en**), effect
wirtschaftlich, economic
das **Wirtshaus** (**⸚er**), inn
der **Witz** (**-e**), joke
wohltuend, beneficial
das **Wunder** (-), miracle
sich **wundern** (*w.*), to be surprised
wunderschön, very beautiful, wonderful
die **Wüste** (**-n**), desert

zahlreich, numerous
zahm, tame
die **Zahnradbahn** (**-en**), rack and pinion railway
der **Zauber,** magic, charm
zeichnen (*w.*), to draw
das **Zeitalter** (-), age
die **Zelle** (**-n**), cell
zerfallen (*str.*), to disintegrate, to fall away
zerstören (*w.*), to destroy
die **Zerstörung** (**-en**), destruction
zerteilen (*w.*), to divide up
das **Zeugnis** (**-nisse**), evidence, certificate, school report; **Zeugnis ablegen,** to give evidence
ziehen (*str.*), to pull; (*intransitive*) to move
das **Ziel** (**-e**), aim, destination, goal
sich **zieren** (*w.*), to act coyly
zudringlich, importunate
zufrieden, satisfied
zugehen (*str. sep.*), to proceed, to go on
zuhören (*w. sep.*), to listen
zulänglich, adequate
zumachen (*w. sep.*), to close
zurückkehren (*w. sep.*), to return

die **Zusammenarbeit,** co-operation

der **Zusammenbruch** (∸e), collapse

der **Zusammenhang** (∸e), connection, coherence

zuschauen (*w. sep.*), to look on

zusehen (*str. sep.*), to look on, to watch

zusprechen (*str. sep.*), to address (*literally*); (*figurative*) to partake of

zuwinken (*w. sep.*), to wave to

der **Zweifel** (-), doubt

zweifeln (*w.*), to doubt

der **Zwerg** (-e), dwarf

zwingen (*str.*), to force

ENGLISH–GERMAN VOCABULARY

The following abbreviations are used: *n.* (noun), *v.* (verb), *w.* (weak), *str.* (strong), *irreg.* (irregular), *sep.* (separable), *insep.* (inseparable), *trans.* (transitive), *intrans.* (intransitive), *adj.* (adjective), *adv.* (adverb), *prep.* (preposition), *conj.* (conjunction), *pron.* (pronoun).

N.B.—The genitive singular, where peculiar, and the nominative plural of all nouns are given.

The principal parts of strong and irregular verbs are given in the appended alphabetical list.

The student should bear in mind that the German equivalents given in this vocabulary are those appropriate to the particular sense in which the corresponding English expression is used in the translation exercise and are not necessarily the most suitable rendering of the English expression in all circumstances.

above, *prep.* oberhalb (*gen.*)

above all, vor allem

abroad, ins Ausland, im Ausland

abundance, *n.* die Fülle

account (to take into account, in Betracht ziehen)

acquaintance, *n.* die Bekanntschaft (-en), der Bekannte (*adjectival noun*)

adapt, *v. w. sep.* anpassen

address, *n.* die Adresse (-n)

admire, *v. w.* bewundern

admit, *v. str. sep.* eingestehen (**confess**), *str. sep.* zugeben (**yield**)

advance (in advance, im voraus)

advice, *n.* der Rat, die Ratschläge (*plural*)

advise, *v. str.* raten (*dat.*)

afford, *v. w.* sich erlauben, sich leisten

afraid (to be afraid, *v.w.* sich fürchten [vor + *dat.*])

afternoon, *n.* der Nachmittag (-e)

again and again, immer wieder

ago, vor (*dat.*)

agreement (in agreement with, einverstanden mit)

all the more, um so mehr

allow, *v. w.* erlauben (*dat.*); **be allowed,** *v. w.* dürfen

almost, *adv.* fast, beinahe

alternative (I have no alternative, mir bleibt nichts anderes übrig)

although, *conj.* obgleich, obwohl, obschon

altogether, *adv.* überhaupt

always, *adv.* immer, stets

American, *adj.* amerikanisch

anchor, *n.* der Anker (-); **at anchor,** vor Anker

ancient, *adj.* uralt

angry (to be angry, sich ärgern, *v. w.*)

annoyed (to be annoyed, sich ärgern, *v. w.*)

answer, *v. w. intrans.* antworten, *v. w. trans.* beantworten
apart from, abgesehen von
appetite, *n.* der Appetit (-e)
apple-juice, *n.* der Apfelsaft
approach, *v. w.* sich nähern
architectural, *adj.* architektonisch
arrange, *v. w.* verabreden
arrival, *n.* die Ankunft (ˇe)
arrive, *v. str. sep.* ankommen
art gallery, *n.* die Gemäldegalerie (-n)
artistic, *adj.* künstlerisch
as, *conj.* wie (**comparison**), als (**when**), da (**because**)
ascent, *n.* der Aufstieg (-e)
ask (for), *v .str.* bitten (um)
attention (to draw someone's attention, jemand aufmerksam machen -auf + *acc*)
attract, *v. str. sep.* anziehen
Austria, Österreich
Austrian, *adj.* österreichisch

bank (of river), *n.* das Ufer
Bavarian, *n.* der Bayer (-n, -n), *adj,* bayrisch
bear (tolerate), *v. str.* vertragen
bearings (to get one's bearings, *v. w.* sich orientieren)
beauty, *n.* die Schönheit (-en)
because, *conj.* weil
bed, *n.* das Bett (-en); **to bed,** ins Bett
beer, *n.* das Bier (-e)
before, *prep.* vor, *conj.* bevor, ehe, *adv.* vorher
beforehand, *adv.* vorher
beg, *v. str.* bitten
begin, *v. str.* beginnen, *v. str. sep.* anfangen
believe, *v. w.* glauben
belong, *v. w.* gehören
beside oneself (with), ausser sich (vor + *dat.*)

bid (command), *v. str.* heissen
bless, *v.w.* segnen
board (on board, an Bord + *gen.*)
boast, *v. w.* sich rühmen
boat, *n.* das Boot (-e)
book-case, *n.* der Bücherschrank (ˇe)
book-shop, *n.* die Buchhandlung (-en)
boom, *n.* der Aufschwung (ˇe)
both, *pron.* beide
breakfast, *n.* das Frühstück (-e)
bridge, *n.* die Brücke (-n)
brush, *v. w.* bürsten
build, *v. w.* bauen
building, *n.* der Bau (-ten), das Gebäude (-)
busy (to be busy, *v. w.* sich beschäftigen -mit)

cabin, *n.* die Kajüte (-n)
cabin floor, *n.* der Kajütenboden (ˇ)
cake, *n.* der Kuchen (-)
capital, *n.* die Hauptstadt (ˇe)
carve, *v. w.* schnitzen
case, *n.* der Fall (ˇe)
castle, *n.* das Schloss (ˇer), die Burg (-en)
catch, *n.* der Fang (ˇe)
cause, *v. w.* verursachen
certain, *adj.* gewiss
chair, *n.* der Stuhl (ˇe)
change (change one's mind, es sich (*dat.*) anders überlegen, *v. w. insep.*)
character, *n.* der Charakter (-e)
charming, *adj.* bezaubernd, entzückend
chat, *v. w.* plaudern
cheap, *adj.* billig
check, *v. w.* kontrollieren
child, *n.* das Kind (-er)
church, *n.* die Kirche (-n)
cigar, *n.* die Zigarre (-n)

cigarette, *n.* die Zigarette (-n)

cinema, *n.* das Kino (-s)

citizen, *n.* der Bürger (-)

city, *n.* die Grossstadt (¨e)

clean, *v. w.* reinigen

climb, *v. w.* klettern

close, *v. w. sep.* zumachen, *v. str.* schliessen

coat, *n.* der Mantel (¨)

coffee, *n.* der Kaffee

coffee service, *n.* das Kaffeeservice (-)

cold, *adj.* kalt; **I am cold,** mir ist kalt

Cologne, Köln

comfortable, *adj.* bequem

compare, *v. str.* vergleichen

composer, *n.* der Komponist (-en, -en)

concert, *n.* das Konzert (-e)

concert hall, *n.* der Konzertsaal (-säle)

condition, *n.* das Verhältnis (-nisse)

conduct, *v. w.* dirigieren

conductor, *n.* der Schaffner (-)

conscience, *n.* das Gewissen (-); **a clear conscience,** ein gutes Gewissen

consider, *v. w. insep.* überlegen

consist (of), bestehen (aus)

contain, *v. str.* enthalten

content oneself, *v. w.* sich begnügen

continue, *v. w. sep.* fortsetzen

contribute, *v. str. sep.* beitragen

cook, *v. w.* kochen

corresponding, *adj.* entsprechend

count, *v. w.* zählen; **count on,** *v. w.* rechnen (mit)

country, *n.* das Land (¨er)

countryside, *n.* die Landschaft

course (in the course of, im Laufe + *gen.*)

cut, *v. str.* schneiden

dance, *v. w.* tanzen

day, *n.* der Tag (-e)

dear, *adj.* lieb, teuer (**expensive**)

decide, *v. str.* beschliessen, sich entschliessen, *v. str. sep.* sich (*dat.*) vornehmen

deck, *n.* das Deck (-e)

declare, *v. w.* erklären

deer, *n.* das Reh (-e)

delightful, *adj.* entzückend

departure, *n.* die Abfahrt (-en)

describe, *v. str.* beschreiben

develop, *v. w.* sich entwickeln (**into,** zu)

difference, *n.* der Unterschied (-e); **difference in customs,** *n.* die Sittenverschiedenheit (-en)

different, *adj.* verschieden, anders; **different from,** anders als

difficult, *adj.* schwierig, schwer

difficulty, *n.* die Schwierigkeit (-en)

dining room, *n.* das Esszimmer (-), der Speisesaal (-säle)

dinner, *n.* das Mittagessen (-), das Abendessen (-) (**have dinner,** zu Abend essen)

disappear, *v. str.* verschwinden

disappoint, *v. w.* enttäuschen

disappointment, *n.* die Enttäuschung (-en)

disposal (to place at my disposal, mir zur Verfügung stellen, *v. w.*)

distance, *n.* die Ferne (-n), die Entfernung (-en); **at a great distance,** in weiter Ferne

dizzy (I am dizzy, es schwindelt mir, *v. w. impersonal*)

door, *n.* die Tür (-en)

doubt, *v. w.* zweifeln (an + *dat.*)

drawer, *n.* die Schublade (-n)

dress oneself, *v. str. sep.* sich anziehen

during, *prep.* während (*gen.*)

early, *adj.* or *adv.* früh

eat, *v. str.* essen

economic, *adj.* wirtschaftlich

edge, *n.* der Rand (¨er)

eel, *n.* der Aal (-e)

eel boat, *n.* der Aalkutter (-)

effort, *n.* die Bemühung (-en)

emphasise, *v. w.* betonen

end, *n.* das Ende (-n)

endure, *v. str.* vertragen

enhance, *v. w.* erhöhen

enjoy oneself, *v. w.* sich amüsieren

enjoyable, *adj.* vergnügt

enough, *adv.* genug

enter (train into station), *v. str. sep.* einfahren, einlaufen (in)

entertain, *v. str.* unterhalten

entertainment, *n.* die Unterhaltung (-en)

enthusiasm, *n.* die Begeisterung

especially, *adv.* besonders

eternally, *adv.* ewig

even, *adv.* selbst, sogar

evening, *n.* der Abend (-e)

ever, *adv.* je, jemals

everywhere, *adv.* überall

exaggerate, *v. str. insep.* übertreiben

example, *n.* das Beispiel (-e)

exceed, *v. str. insep.* übertreffen

excitement, *n.* die Aufregung (-en)

excuse, *v. w.* entschuldigen

exchange, *v. w. sep.* austauschen

exercise, *n.* die Aufgabe (-n)

exertion, *n.* die Anstrengung (-en)

exist, *v. str.* bestehen

expect, *v. w.* erwarten

expectation, *n.* die Erwartung (-en)

expensive, *adj.* teuer, kostspielig

experience, *n.* die Erfahrung (-en); **have an experience,** eine Erfahrung machen

explain, *v. w.* erklären

express train, *n.* der D-Zug (¨e), der Eilzug (¨e)

expression, *n.* der Ausdruck (¨e)

extraordinary, *adj.* ausserordentlich

extremely, *adv.* höchst, äusserst

fail, *v. w.* versagen

family, *n.* die Familie (-n)

family life, *n.* das Familienleben

famous, *adj.* berühmt (wegen)

fashion, *n.* die Weise, die Art und Weise

fast, *adj.* or *adv.* schnell

father, *n.* der Vater (¨)

fear, *n.* die Furcht, die Angst

feather bed, *n.* das Federbett (-en)

Federal Republic, *n.* die Bundesrepublik

feel, *v. w.* fühlen, sich fühlen (*renders English intrans. verb*)

fieldmarshal, *n.* der Feldmarschall (¨e)

fight, *v. w.* kämpfen

figure, *n.* die Figur (-en)

final, *adj.* endgültig

finish (to finish up, zum Schluss)

first, *adv.* zuerst, zunächst; **at first,** zuerst, zunächst

fish, *n.* der Fisch (-e)

fisherman, *n.* der Fischer (-)

flat, *adj.* flach

flower bed, *n.* das Blumenbeet (-e)

fluent, *adj.* fliessend, geläufig

folk-song, *n.* das Volkslied (-er)
folk-tune, *n.* die Volksweise (-n)
follow, *v. w.* folgen (*dat.*)
foreigner, *n.* der Ausländer (-)
forgive, *v. str.* verzeihen (*dat.*)
fork, *n.* die Gabel (-n)
fortunately, *adv.* glücklicherweise
freeze, *v. str. impersonal,* frieren
friendly, *adj.* freundlich
frontier, *n.* die Grenze (-n)

garden, *n.* der Garten (¨)
gate, *n.* das Tor (-e)
gentle, *adj.* sanft
gentleman, *n.* der Herr (-n, -en)
get up, *v. str. sep.* aufstehen
glad, *adj.* froh
gladly (willingly), *adv.* gern, gerne
glass, *n.* das Glas (¨er)
glow (light), *n.* der Schein
God, *n.* der Gott (¨er)
goodbye (to say goodbye, *v. w.* sich verabschieden)
goods, *n.* die Waren (*sing.* die Ware)
granted (to be granted to him, ihm zuteil werden)
grape, *n.* die Traube (-n)
grasp (mentally), *v. w.* erfassen
grateful, *adj.* dankbar
grounds (park), die Anlagen
group, *n.* die Gruppe (-n)
guest, *n.* der Gast (¨e)

hail, *v. w. impersonal,* hageln
hair, *n.* das Haar (-e)
half, *n.* die Hälfte (-n), *adj.* halb
hand, *n.* die Hand (¨e)
hang up, *v. w. sep.* aufhangen
happen, *v. str.* geschehen, *v. w.* passieren
happy, *adj.* glücklich

harvest, *v. w.* ernten
hear, *v. w.* hören
help, *v. str.* helfen (*dat.*)
help, *n.* die Hilfe
hill, *n.* der Hügel (-), die Höhe (-n)
holiday, *n.* der Urlaub, der Ferienaufenthalt (-e), die Ferien (*plural*)
horrible, *adj.* scheusslich
hospitality, *n.* die Gastfreundschaft
hot, *adj.* heiss
hour, *n.* die Stunde (-n)
however, *adv.* jedoch
humour, *n.* der Humor

ill, *n.* krank
imagine, *v. w. sep.* sich (*dat.*) vorstellen, sich (*dat.*) denken, *v. w. irreg.,* sich (*dat.*) einbilden, *v. w. sep.* (**to imagine wrongly**)
important, *adj.* wichtig, bedeutend
impress, *v. w.* imponieren (*dat.*) *v. w.* beeindrucken (*acc.*) **impress upon,** *v. w. sep.* einschärfen (*dat.*)
impression, *n.* der Eindruck (¨e)
industry, *n.* die Industrie (-n)
inhabitant, *n.* der Einwohner (-)
inn, *n.* die Gastwirtschaft (-en), der Gasthof (¨e), das Lokal (-e)
inspect, *v. w.* besichtigen
intention, *n.* die Absicht (-en)
interested (be interested in, sich interessieren (*v. w.*) für)
interior (interior of town, der innere Stadtteil (-e))
introduce (to), *v. w.* bekannt machen (mit)
invite, *v. str. sep.* einladen

join, *v. str. sep.* sich anschliessen (*dat.*)
joke, *n.* der Witz (-e)
jolly, *adj.* lustig, gemütlich
journey, *n.* die Reise (-n)
judge, *v. w. intrans.* urteilen

kind, *n.* die Sorte (-n), die Art (-en)
knife, *n.* das Messer (-)
knight, *n.* der Ritter (-)
know, *v. w. irreg.* wissen, *v. w. irreg.* kennen (**be acquainted with**); **get to know,** kennen lernen

lake, *n.* der See (-n)
landlord, *n.* der Wirt (-e)
language, *n.* die Sprache (-n)
lantern, *n.* der Lampion (-s)
large, *adj.* gross
last, *adj.* letzt
lawn, *n.* die Rasenfläche (-n)
lawyer, *n.* der Notar (-e)
learn, *v. w.* lernen
leave, *v. str. sep. intrans.* abfahren, weggehen
legend, *n.* die Legende (-n), die Sage (-n)
lemonade, *n.* die Limonade (-n)
letter, *n.* der Brief (-e)
life, *n.* das Leben (-); **lose one's life,** ums Leben kommen
line, *n.* die Zeile (-n)
listen, *v. w. sep.* zuhören
little (**a little,** ein wenig)
look (**have a look at,** *v. str. sep.* sich (*dat.*) ansehen)
look forward (**to**), *v. w.* sich freuen (auf + *acc.*)
love, *v. w.* lieben
lover, *n.* der Liebhaber (-)
lunch, *n.* das Mittagessen (-); **have lunch,** zu Mittag essen, *str.*

magnificent, *adj.* herrlich
manage (on), *v. str. sep.* auskommen (mit)
market place, *n.* der Markt (¨e), der Marktplatz (¨e)
Mayence, Mainz
medieval, *adj.* mittelalterlich
meet, *v. w.* begegnen (*dat.*)
memory, *n.* die Erinnerung (-en) (**recollection**)
merriment, *n.* die Fröhlichkeit
Middle Ages, *n.* das Mittelalter
milk, *n.* die Milch
mind (**make up one's mind,** *v. str.* sich entschliessen)
mineral spring, *n.* die Mineralquelle (-n)
miss, *v. w.* vermissen
mistake, *n.* der Fehler (-)
modern, *adj.* modern
monastery, *n.* das Kloster (¨); **ruined monastery,** *n.* die Klosterruine (-n)
money, *n.* das Geld (-er)
monk, *n.* der Mönch (-e)
monotonous, *adj.* eintönig
month, *n.* der Monat (-e)
mood, *n.* die Laune (-n), die Stimmung (-en)
motor boat, *n.* das Motorboot (-e)
mountain, *n.* der Berg (-e)
mouse, *n.* die Maus (¨e); **Mouse Tower,** *n.* der Mäuseturm
Munich, München
museum, *n.* das Museum (Museen)
musician, *n.* der Musiker (-)

narrow, *adj.* eng
need, *w.* brauchen
neglect, *v. w.* vernachlässigen
net, *n.* das Netz (-e)
nevertheless, *adv.* nichtsdestoweniger, trotzdem

new, *adj.* neu
news, *n.* die Nachricht (-en)
newspaper, *n.* die Zeitung (-en)
noise, *n.* der Lärm
not at all, gar nicht, überhaupt nicht
notice, *v. w.* bemerken

obviously, *adv.* offensichtlich, offenbar
occasion, *n.* die Veranlassung (-en), die Gelegenheit (-en)
occupied (be occupied with, *v. w.* sich beschäftigen mit)
offer (*figurative*), *v. str.* bieten
officer, *n.* der Offizier (-e)
often, *adv.* oft, häufig
opinion, *n.* die Meinung (-en)
opportunity, *n.* die Gelegenheit (-en); **take the opportunity,** die Gelegenheit wahrnehmen *v. str. sep.*
opposite *prep.* gegenüber (*dat.*)
orchestra, *n.* das Orchester (-), die Kapelle (-n)
order (command), *v. str.* befehlen
organ, *n.* die Orgel (-n)
outskirts (on the outskirts of the town, draussen vor der Stadt)
outstanding, *adj.* hervorragend
overrun, *v. w. insep. irreg.* überrennen
owe (a debt of gratitude), *v. w.* verdanken
own, *adj.* eigen.

parcel, *n.* das Paket (-e)
part (take part in, sich beteiligen an + *dat. v. w.*)
partake (partake freely of, etwas (*dat.*) tüchtig zusprechen, *v. str. sep.*)
pass, *v. str. sep.* vorbeigehen, vorbeifahren (an + *dat.*)

passenger, *n.* der Passagier (-e)
pay (pay a visit, einen Besuch abstatten, *v. w. sep.*)
peak, *n.* der Gipfel (-), der Höhepunkt (-e)
peculiar, *adj.* eigenartig, eigentümlich
people, *n.* die Leute (*plural*)
perhaps, *adv.* vielleicht
persuade, *v. w. insep.* überreden
photograph, *n.* die Aufnahme (-n)
pianist *n.,* der Pianist (-en, -en)
picture, *n.* das Bild (-er)
piece, *n.* das Stück (-e)
place, *n.* der Ort (-e)
plan, *n.* der Plan (¨e); **make plans,** Pläne schmieden, *v. w.*
platform, *n.* das Podium (-ien)
play, *v. w.* spielen
pleasant, *adj.* angenehm, vergnügt
please, bitte, bitte schön
please, *v. str.* gefallen (*dat.*); **to be pleased,** *v. w.* sich freuen (über + *acc.*), freuen, *v. w. impersonal*
poem, *n.* das Gedicht (-e)
poet, *n.* der Dichter (-)
policeman, *n.* der Schupo (-s), der Polizist (-en, -en)
ponder (over), *v. w. irreg. sep.* nachdenken (über + *acc.*)
poor, *adj.* arm
popularity, *n.* die Beliebtheit
popular song, *n.* der Schlager (-)
porcelain factory, *n.* die Porzellanmanufaktur (-en)
position, *n.* die Lage (-n)
potato, *n.* die Kartoffel (-n)
prefer, *v. str. sep.* vorziehen
previously, *adv.* vorher, früher
price, *n.* der Preis (-e)
probably, *adv.* wahrscheinlich
problem, *n.* das Problem (-e)
promise, *n.* das Versprechen (-)

pronounce, *v. str. sep.* aussprechen

pronunciation, *n.* die Aussprache (-n)

proof (of), *n.* der Beweis (-e) (für)

prove (*intrans.*), *v. str.* sich erweisen (als)

put in (shipping), *v. w. sep.* anlegen

quality, *n.* die Qualität (-en)

question, *n.* die Frage (-n)

quote, *v. w. sep.* anführen, *v. w.* zitieren

rain, *v. w. impersonal,* regnen

reach, *v.w. intrans.* reichen, *v. w. trans.* erreichen

read, *v. str.* lesen

really, *adv.* eigentlich (**actually**)

receive, *v. str.* empfangen

recently (in recent times), in letzter Zeit

recollection, *n.* die Erinnerung (-en)

recommend, *v. str.* empfehlen

reconstruction, *n.* der Wiederaufbau

recover (recuperate), *v. w.* sich erholen

refer (to), *v. str.* sich beziehen (auf + *acc.*)

regret, *v. w.* bereuen

remain silent, *v. str.* schweigen

remaining, *adj.* übrig

remember, *v. w.* sich erinnern (an + *acc.*)

remind, *v. w.* erinnern (an + *acc.*)

repeat, *v. w. insep.* wiederholen

reply, *v. w.* erwidern, antworten

report, *n.* der Bericht (-e)

report, *v. w. trans.* melden

represent, *v. w. sep.* darstellen (**portray**)

reputation, *n.* der Ruf (-e)

resolve, *v. str.* beschliessen

respect (connection), *n.* die Hinsicht (-en), die Beziehung (-en)

rest, *v. w. sep.* sich ausruhen

restaurant, *n.* das Restaurant (-s), die Gaststätte (-n)

result, *n.* das Resultat (-e), das Ergebnis (-nisse)

retain, *v. str.* behalten

return, *n.* die Rückkehr; **return journey,** *n.* die Rückfahrt (-en), die Rückreise (-n)

return, *v. w. sep.* zurückkehren

Rhenish, *adj.* rheinisch

rise, *v. str.* sich erheben, *v. str. sep.* aufstehen

river, *n.* der Fluss (¨e), der Strom (¨e)

road, *n.* der Weg (-e)

roast pork, *n.* der Schweinebraten

robber knight, *n.* der Raubritter (-)

rock, *n.* der Fels *or* Felsen (Felsens, Felsen)

sacrifice, *n.* das Opfer (-); **make sacrifices,** Opfer bringen, *v. w. irreg.*

sailor, *n.* der Seemann (-leute)

save (rescue), *v. w.* retten

say (to say nothing of, geschweige denn, von . . . ganz zu schweigen)

scarcely, *adv.* kaum

scenery, *n.* die Landschaft

second, *adj.* zweite (r)

second-hand, *adj.* antiquarisch

seem, *v. str. sep.* vorkommen

seldom, *adv.* selten

send, *v. w. irreg.* or *reg.* senden, *v. w.* schicken

sense, *n.* der Sinn (-e)

sentence, *n.* der Satz (¨e)

set to music, *v. w.* setzen, komponieren

set off, sich auf den Weg machen

several, *adj.* mehrere

shade, *n.* der Schatten (-)

shake, *v. w.* schütteln

shine, *v. str.* scheinen

ship, *n.* das Schiff (-e)

shop, *n.* der Laden (¨), das Geschäft (-e)

short, *adj.* kurz; **be short of,** *v. w. impersonal,* fehlen (an + *dat.*)

show, *v. w.* zeigen

side, *n.* die Seite (-n)

sight, *n.* der Anblick (-e)

since, *prep.* seit (*dat.*), *conj.* seitdem (**time**), da (**because**)

sing, *v. str.* singen

single, *adj.* einzig

sister, *n.* die Schwester (-n)

sit, *v. str.* sitzen; **sit down,** *v. w.* sich setzen

situated (**be situated,** *v. str.* liegen, sich befinden)

size, *n.* die Grösse (-n)

sky, *n.* der Himmel (-)

slowly, *adv.* langsam

smoke, *v. w.* rauchen, *v. w.* räuchern (**preserve**)

snow, *v. w.* schneien

soldier, *n.* der Soldat (-en, -en)

solely, *adv.* bloss

son, *n.* der Sohn, (¨e)

song, *n.* das Lied (-er)

sorry (**be sorry,** *v. str. impersonal,* leid tun (*dat.*))

south, *adv.* südlich, nach Süden

southwards, *adv.* südlich, nach Süden

Southern Germany, Süddeutschland

souvenir, *n.* das Andenken (-)

spa, *n.* der Badeort (-e)

spend (**time**), *v. w. irreg.* verbringen; **spend the night,** *v. w. insep.* übernachten

spite (**in spite of,** *prep.* trotz (*gen.*))

spoil, *v. str.* verderben

Spring, *n.* der Frühling

stamp, *n.* die Briefmarke (-n), die Freimarke (-n)

start (**start out on a journey,** eine Reise antreten, *v. str. sep.*)

station, *n.* der Bahnhof (¨e)

stay, *v. str. bleiben,* *n.* der Aufenthalt (-e)

steamer, *n.* der Dampfer (-)

steamer trip, *n.* die Dampferfahrt (-en)

steamship company, *n.* die Dampfschiffahrtsgesellschaft (-en)

steep, *adj.* steil

step into, *v. str. sep.* eintreten (in + *acc.*)

story, *n.* die Geschichte (-n)

stranger, *adjectival noun,* der Fremde

strenuous, *adj.* anstrengend

strike (**strike up a song,** ein Lied anstimmen, *v. w. sep.*)

subject, *n.* das Thema (Themen or Themata)

succeed, *v. str. impersonal,* gelingen (*dat.*)

success, *n.* der Erfolg (-e)

suddenly, *adv.* plötzlich

suggest, *v. str. sep.* vorschlagen

suit, *n.* der Anzug (¨e)

summer, *n.* der Sommer (-)

sun, *n.* die Sonne (-n)

supper, *n.* das Abendessen (-), das Abendbrot

surprise, *n.* die Überraschung (-en), die Verwunderung (*abstract*)

surprised (**be surprised**), *v.w.* sich wundern

surround, *v. str. insep.* umgeber

swim, *v. str.* schwimmen

swimming bath (open-air swimming bath, das Freibad (:er))

take (a person to a place), *v. w.* führen
talk, *v. w.* reden, *v. str.* sprechen
taste, *n.* der Geschmack (:e)
taste, *v. w.* schmecken
tasty, *adj.* schmackhaft
teach, *v. w.* lehren
teem, *v. w.* wimmeln (von, **with**)
tell, *v. w.* erzählen
than, *conj.* als
thank, *v. w.* danken (*dat.*); **thanks to,** dank (*dat.*); **express one's thanks, say thank you,** *v. w.* sich bedanken; **thank you,** danke schön, vielen Dank, schönen Dank
theatre, *n.* das Theater (-); **to the theatre,** ins Theater; **at the theatre,** im Theater
thing, *n.* das Ding (-e), die Sache (-n)
think, *v. w. irreg.* denken, *v. w.* glauben
thoroughly, *adv.* gründlich
thunder, *v. w. impersonal,* donnern
thus, *adv.* also
ticket, *n.* (**travel**) die Fahrkarte (-n), der Fahrschein (-e); (**admission**) die Eintrittskarte (-n)
time, *n.* die Zeit (-en), (**occasion**) das Mal (-e); **for the first time,** zum ersten Mal
tire, müde werden, *v. str.*
tired, *adj.* müde
together, *adv.* zusammen
top (of mountain), *n.* der Gipfel (-)
tourist, *n.* der Tourist (-en, -en)

tower, *n.* der Turm (:e)
tower above, *v. w. insep.* überragen
town, *n.* die Stadt (:e)
tradition, *n.* die Tradition (-en)
traffic, *n.* der Verkehr
train, *n.* der Zug (:e)
translate, *v. w. insep.* übersetzen
transpire, *v. w. sep. impersonal,* sich herausstellen
travel, *v. w.* reisen, *v. str.* fahren
travels, *n.* die Reisen (*plural—sing.* die Reise)
tree, *n.* der Baum (:e)
trip, *n.* der Ausflug (:e); **take a trip,** einen Ausflug machen
trouble, *n.* die Mühe
try, *v. w.* versuchen, probieren (**test**)
turn (it's my turn, ich komme an die Reihe, ich bin an der Reihe)
typical (of), *adj.* typisch (für)
Tyrol (the Tyrol), Tirol

undoubtedly, *adv.* zweifellos, ohne Zweifel
use (it's no use, es hat keinen Zweck)
use, *v. w.* brauchen, *v. w. reg. or irreg.* verwenden
utterly and completely, ganz und gar, voll und ganz

valley, *n.* das Tal (:er)
variety, *n.* die Verschiedenheit
view, *n.* die Aussicht (-en), der Blick (-e)
village, *n.* das Dorf (:er)
visit, *v. w.* besuchen
visitor, *n.* der Besucher
voice, *n.* die Stimme (-n)

wainscot, *n.* die Vertäfelung (-en)

wait (for), *v. w.* warten (auf + *acc.*)

waiter, *n.* der Kellner (-)

walk, *n.* der Spaziergang (¨e)

wall, *n.* die Wand (¨e), **(outside)** die Mauer (-n)

war, *n.* der Krieg; **world war,** *n.* der Weltkrieg (-e)

wares, *n.* die Waren (*plural*)

warm, *adj.* warm; **I am warm,** mir ist warm

wash oneself, *v. str.* sich waschen

watch, *v. str. sep.* zusehen (*dat.*)

watering place, *n.* der Badeort (-e), die Badestadt (¨e)

way, *n.* die Weise (-n); **in this way,** auf diese Weise, in dieser Weise

weather, *n.* das Wetter

welcome, *adj.* willkommen

well (I am well, es geht mir gut)

well-kept, *adj.* gepflegt

well-known, *adj.* bekannt

whole, *adj.* ganz

wife, *n.* die Frau (-en), die Gattin (-nen)

wine, *n.* der Wein (-e)

wine festival, *n.* das Winzerfest (-e)

wood, *n.* der Wald (¨er)

wooded, *adj.* bewaldet

word, *n.* das Wort (-e, **spoken words;** ¨er, **vocables, listed words, etc.**)

world, *n.* die Welt (-en)

worth, *adj.* wert; **to get one's money's worth,** auf seine Kosten kommen

write, *v. str.* schreiben

wrong, *adj.* falsch

year, *n.* das Jahr (-e)

yesterday, *adv.* gestern